L'Enfant de la Terre

DU MÊME AUTEUR
DANS LA MÊME COLLECTION

Le Mage des fourmis

Série «Les voyages du Dauphin»:
Le Vaisseau des tempêtes
Le Prince des Glaces

Série «Les Marches de la Lune Morte»:
Le Fils du Margrave
L'Héritier de Lorann
L'Enfant de la Terre

Sous le pseudonyme
de LAURENT MCALLISTER
(En collaboration avec Jean-Louis Trudel)

Série «Les Îles du Zodiaque»:
Le Messager des orages
Sur le chemin des tornades

Série «*Les Marches de la Lune Morte*»

Tome 3

L'Enfant de la Terre

Yves Meynard

MÉDIASPAUL

Les Éditions Médiaspaul remercient le ministère du Patrimoine canadien, le Conseil des Arts du Canada et la Société de développement des entreprises culturelles (SODEC) pour leur Programme d'aide à l'édition.

Catalogage avant publication de la Bibliothèque nationale du Canada

Meynard, Yves

L'Enfant de la Terre

(Jeunesse-pop; 152. Fantastique épique)
Suite de: L'Héritier de Lorann.

ISBN 2-89420-592-9

I. Titre. II. Collection: Collection Jeunesse-pop; 152.
III. Collection: Collection Jeunesse-pop. Fantastique épique.

PS8576.E943E53 2004 jC843'.54 C2004-940014-2
PS9576.E943E52 2004

Composition et mise en page: *Médiaspaul*

Illustration de la couverture: *Charles Vinh*

ISBN 2-89420-592-9

Dépôt légal — 2e trimestre 2004
Bibliothèque nationale du Québec
Bibliothèque nationale du Canada

3965, boul. Henri-Bourassa Est
Montréal, QC, H1H 1L1 (Canada)
www.mediaspaul.qc.ca
mediaspaul@mediaspaul.qc.ca

Imprimé au Canada — Printed in Canada

Prologue
L'Héritier de Lorann

Après l'enterrement de son père le Margrave, Sébastien se remit à s'inquiéter des magiciennes de la Lune. Même si Ashakh lui avait affirmé que le portail ne laisserait passer que lui, Sébastien craignait que les Lunaires ne trouvent un moyen de contourner cette contrainte. Accompagné de quelques-uns de ses gardes, il retraça son chemin dans l'aile nord-ouest et parvint à la porte enchantée. Il y posta des hommes et ordonna que des maçons bâtissent des murs pour bloquer le corridor et isoler la porte de chaque côté.

Rasséréné, Sébastien s'occupa ensuite de mieux comprendre ce qui lui était arrivé sur la Lune. Malheureusement, les deux magiciens résidant au château de la Marche Orientale ne lui furent d'aucune aide. Sébastien eut néanmoins une révélation: il se rendit compte que tous ses jouets magiques étaient subtilement marqués du symbole de la Lune. Sans doute, se dit-il, une magicienne lunaire renégate, un millénaire auparavant, avait-elle apporté ces objets de la Lune vers la Terre. Lorann Szeleky, le fondateur de sa lignée, se les serait appropriés quand il avait pris possession de l'immense château où avaient vécu tous ses descendants depuis.

Sébastien ignorait qui était responsable de la mort de son père, mais le capitaine Aubert, lui, avait résolu le mystère: le Margrave Théodore Szeleky avait été assassiné sur les ordres d'Allan Osryn, Comte de la Marche Australe. Osryn était un homme aussi arrogant que stupide et il jalousait l'influence du Comte de la Marche Orientale à la Cour impériale. Hélas, son rang élevé ainsi que l'absence de preuves indiscutables mettaient le Margrave Osryn à l'abri de toute accusation. Seul Sébastien aurait pu le défier personnellement — mais le jeune Margrave était un épéiste débutant. Or, le Margrave Osryn n'aurait pas hésité à défendre son innocence selon l'antique droit des armes, ce qui se serait soldé par la mort de Sébastien. Wolf le castellan convainquit Aubert de garder pour lui son savoir, d'attendre que Sébastien soit devenu un homme avant de lui révéler l'identité de l'assassin de son père.

Six mois s'écoulèrent. Au début de l'automne, un garde vint informer Sébastien qu'il avait entendu des bruits suspects de l'autre côté du mur qui scellait la porte magique. À la tête d'un détachement de soldats, Sébastien se rendit jusqu'à la porte et fit ouvrir une brèche dans le mur. Il fut horrifié de découvrir à travers la brèche le visage hagard de Loriel, qui avait été translocalisée par le portail... pour arriver dans un couloir sans issue, où elle avait cru mourir.

Sébastien fit amener Loriel aux appartements du docteur Azemann, non sans l'avoir ligotée et bâillonnée. Il n'avait pas eu d'autre choix, pour expliquer la situation, que de révéler qu'il s'agissait d'une magicienne ennemie. Ni le capitaine Aubert ni le docteur Azemann n'étaient enclins à le croire sans discussion, mais aucune autre explication ne s'offrait à eux.

Le matin suivant, quand Loriel se fut un peu rétablie, Sébastien eut une conversation avec elle, dans la langue lunaire qu'il maîtrisait toujours grâce à la magie d'Ashakh — ce qui ne laissa pas de stupéfaire Wolf le castellan, qui ne comprenait pas d'où son maître tirait sa connaissance d'une langue que lui ne pouvait identifier!

Loriel révéla à Sébastien qu'elle savait qui il était: le descendant de Lorann. Lorann Szeleky était un magicien lunaire renégat, qui avait établi pour son usage personnel une paire de portails de Translocation Instantanée, reliant la forteresse de Farglon à un château sur Terre. Les portails avaient été ajustés pour ne laisser passer que ceux dans les veines desquels coulait le sang de Lorann, ce qui expliquait que Sébastien, son descendant direct, puisse les utiliser.

Après de longs efforts, Ashakh était parvenu à annuler cet obstacle pour permettre à Loriel de traverser le portail. Elle avait été envoyée pour ramener Sébastien sur la Lune: le commandement de Farglon réclamait sa présence. Loriel jura qu'elle ramènerait Sébastien sur Terre quoi qu'il arrive et le pressa d'accepter l'invitation. Malgré sa curiosité, Sébastien refusa: ses responsabilités de Margrave lui pesaient trop et il n'était pas prêt à courir le risque d'un nouveau séjour sur la Lune, là où il ne comptait que de rares alliés, tandis que la Suzeraine Azinou souhaitait toujours sa perte.

Le lendemain, Sébastien, accompagné d'Aubert et de quelques gardes, ramena Loriel à l'autre portail de Translocation. Au moment où ils arrivaient au portail, Loriel invoqua le pouvoir d'un objet magique, un bracelet qu'elle portait au poignet: des tentacules s'emparèrent de Sébastien et le jetèrent à travers l'ouverture.

D'abord furieux d'avoir été berné, Sébastien devint rapidement terrorisé quand il se rendit compte de la véritable situation sur la Lune. Car le commandement de Farglon qui avait réclamé sa présence n'était pas constitué des Suzeraines de la forteresse, mais bien des Ennemis qui, deux mois auparavant, avaient lancé une attaque souterraine contre Farglon et avaient réussi à s'emparer du *spramell* de la forteresse: les quartiers des mâles et des enfants.

Leur progéniture étant tenue en otage, les habitantes de Farglon s'étaient rendues. Si Ashakh avait envoyé Loriel quérir Sébastien, c'était en réponse aux ordres de Tellon-Kheveren, l'Ennemie qui commandait maintenant la forteresse. Elle désirait étudier un humain de la Terre et avait réclamé la présence du jeune Margrave. Sébastien fut emmené en présence de Tellon-Kheveren. Il découvrit avec stupeur qu'elle avait une apparence presque humaine, même si elle était faite de métal comme tous ses semblables.

L'Ennemie lui posa une interminable série de questions, toutes plus incongrues les unes que les autres, dans le but de saisir comment l'intelligence de Sébastien différait de celle des Lunaires. Elle lui expliqua qu'elle était une émulation humaine, que sa fonction était de parvenir à penser comme les humains le faisaient. Sébastien comprit enfin pourquoi les Ennemis avaient créé Tellon-Kheveren: pour compenser le seul désavantage qu'ils avaient en comparaison des humains. Les Ennemis ne pouvaient utiliser la magie, mais Tellon-Kheveren, elle, en était capable, car son esprit était différent de celui de ses semblables.

Cette différence avait des conséquences inattendues: Tellon-Kheveren, au contraire des autres Ennemis, ne considérait pas la destruction des humains comme une nécessité absolue. Elle ne croyait pas à la paix pour autant, hélas: simplement à l'exil définitif de l'humanité…

Voyant que Sébastien était fatigué, Tellon-Kheveren décida de remettre à plus tard l'examen physique. Un Ennemi escorta le jeune Margrave à travers Farglon, jusqu'à une salle obscure, et referma la porte derrière lui.

1
Les prisonnières de Farglon

Assis seul dans l'obscurité, le dos contre la lourde porte derrière laquelle les Ennemis montaient la garde, Sébastien soupira. Il avait l'esprit encore étourdi par sa conversation surréaliste avec Tellon-Kheveren. Cela ne faisait que quelques heures qu'il était sur la Lune, mais il avait l'impression d'être parti de chez lui depuis des semaines... Inutile de rester assis à s'apitoyer sur lui-même, se dit-il. Il lui fallait retrouver les Lunaires avant tout. Cette salle obscure devait donner accès à la section de Farglon où s'étaient réfugiées les Lunaires survivantes. Si seulement il avait eu une lanterne! Il se remit sur ses pieds et commença à suivre le mur en tâtonnant. Il n'avait pas parcouru cinq mètres quand on s'adressa à lui.

— Non, pas par là, dit une voix féminine à quelque distance, qui se répercutait sur les murs de la pièce. Il n'a qu'une seule sortie. Viens par ici.

— Qui est là? demanda Sébastien.

— Je m'appelle Melinou. Tu es le Pesant, n'est-ce pas? Ashakh t'attend. Allons, viens.

— Mais je n'y vois rien!

— Les Ennemis ont ordonné de laisser ce passage dans le noir. Ne t'en fais pas, il n'y a aucun obstacle sur ton chemin, la pièce est vide. Tu n'as qu'à rester tout contre le mur pour ne pas te perdre. Tu veux que je vienne te chercher? Moi, je peux y voir.

Sébastien refusa, non par orgueil mais par prudence: il ne tenait pas à faire confiance à qui que ce soit en ce moment. Que la Lunaire soit capable de voir dans l'obscurité que lui ne pouvait percer le mettait encore plus mal à l'aise.

Sébastien avança en tâtonnant. Quand il eut parcouru une dizaine de mètres, une main longue et fine prit soudain la sienne, le faisant tressaillir.

— Tiens, je suis là, dit Melinou. Viens, maintenant.

Elle l'entraîna à sa suite. Le passage fit un coude, puis un autre. Au sortir du deuxième coude, Sébastien commença enfin à y voir. Une lueur vert pâle sourdait des murs devant eux. Il regarda son guide: une Lunaire d'âge moyen, aux cheveux courts ébouriffés. Elle était beaucoup plus musclée que Loriel ou Azinou et c'était une Obéissante, vu l'idéogramme tatoué à son front. Une ouvrière? Non, comprit-il soudain, c'était une soldate, privée de son armure.

— Ça va? demanda Melinou. Tu es fatigué? Tu veux que je te porte?

— Mais non, dit Sébastien. Je peux marcher.

Elle lui adressa un sourire et lui pressa doucement la main.

— Comme tu veux.

Elle utilisait depuis le début un des nombreux pronoms personnels de la langue lunaire qui n'avaient pas d'équivalent précis en francq. Le «tu» pouvait se traduire par *id*, qui s'employait entre amis — c'était celui que Sébastien utilisait avec Loriel depuis qu'elle avait risqué sa vie pour l'aider à s'échapper des Suzeraines. Il y avait aussi *ia*, extrêmement familier, que Sébastien ne s'imaginait pas utiliser avec qui que ce soit. C'était *ul* qu'employait Melinou, un pronom neutre à priori, même la Commandante de Farglon avait toujours vouvoyé Sébastien. Et les manières de Melinou étaient empreintes d'une sollicitude qui paraissait déplacée de la part d'une soldate...

Sébastien se rappela alors que tous les mâles de Farglon ou presque, et tous leurs enfants, étaient tenus prisonniers au *spramell*. Du point de vue d'une Lunaire, Sébastien avait l'air d'un garçon à peine sorti de l'enfance. Cela suffisait à expliquer les larmes qu'il voyait maintenant briller au coin des yeux de Melinou...

Le passage déboucha sur une salle habitée, où quelques dizaines de Lunaires étaient assises ou allongées sur des couchettes sommaires. Des soldates, sans armes ni armures, montaient la garde à l'entrée. Melinou n'eut même pas à s'expliquer: deux gardes prirent immédiatement Sébastien en charge. «Au revoir!» lui lança Melinou d'un ton mal assuré; Sébastien voulut lui adresser un signe de remerciement, mais il ne connaissait presque rien du langage corporel des Lunaires et ne put que lui sourire. Alors qu'on l'emmenait le long d'un couloir glacial et désolé, Sébastien pensa avec un pincement au cœur à sa mère qu'il n'avait jamais connue. Melinou avait l'âge qu'aurait eu la Margravine Amélia si elle avait survécu à la naissance de son fils. Une bouffée de tristesse indicible envahit Sébastien, accompagnée du sentiment absurde d'avoir trahi ses parents. Un pâle reflet, se dit-il, de l'*iren-ashaon* qui oppressait Loriel...

Une porte s'ouvrait dans le mur de droite du couloir. De l'autre côté, l'air était carrément tiède, même s'il restait plutôt ténu. Une douzaine de Lunaires se tenaient face à la porte, formant une haie humaine qui bloquait le passage: encore des soldates, vu leur carrure, mais celles-là portaient au front l'idéogramme des Décideuses. Dépourvues d'armes et d'armures, elles auraient dû lui paraître pitoyables, mais une flamme de haine brillait au fond de leurs yeux et leur attitude menaçante fit frissonner le garçon. Même si les Ennemis — les Héritiers — leur avaient enlevé leurs armes, ils n'avaient pu leur enlever leur magie. Sébastien connaissait bien peu de choses sur la magie des Lunaires, mais il ne doutait pas du danger que représentait une Décideuse soldate.

Une soldate dont la tunique portait un emblème de rang cousu à la hâte le dévisagea longuement, des pieds à la tête, avant de tourner la paume vers le haut — l'équivalent lunaire d'un hochement de tête. La barrière humaine s'ouvrit devant Sébastien, révélant une dernière porte, celle-là entrouverte. Son escorte resta derrière et il franchit le seuil timidement, pour se retrouver en présence des Suzeraines de Farglon.

Il n'avait jamais rencontré qu'Azinou et Ashakh, mais les vêtements splendides et l'attitude altière des Lunaires les identifiaient aussi clairement que le tatouage à leur front. Sébastien reconnut immédiatement Ashakh, assis dans un fauteuil de bois au dossier brisé, le menton appuyé sur les mains, contemplant les flammes argentées d'un feu qui brûlait sans combustible, jaillissant des dalles du plancher. À la gauche et à la droite du Suzerain, des Lunaires étaient assises ou agenouillées à même le sol. Deux gardaient leur attention sur les flammes enchantées, une semblait fixer le vide, deux conversaient à mi-voix. À l'entrée de Sébastien, les conversations cessèrent. Les Suzeraines tournèrent leurs regards vers l'intrus, le fixèrent en silence. Finalement, l'une s'adressa à Ashakh, sur un mode qui exprimait la déférence.

— Le garçon Lourd est arrivé, Ashakh.

Le Suzerain leva les yeux sur Sébastien et poussa un soupir. Il lui fit signe d'approcher. Sébastien obéit, mais il marqua une pause au moment de pénétrer dans le cercle des Suzeraines. Toutes proportions gardées, ces femmes avaient au moins autant d'importance ici que les barons de la Marche Orientale chez lui. La prudence commandait de se montrer respectueux.

— Je suis honoré de me trouver en votre présence, Mesdames, dit-il en tentant de soigner son accent. Je me nomme Sébastien.

Une des Suzeraines, dont la moitié du visage était incrustée de pierres scintillantes, lui répondit par une brève formule de politesse condescendante et ajouta un geste agacé pour qu'il se dépêche. Sébastien contourna le feu enchanté — les flammes en étaient d'une chaleur surprenante — et s'approcha du fauteuil du Suzerain.

— Assieds-toi, dit Ashakh. Tu es resté parti longtemps. Tu as vu Tellon-Kheveren?

Il employait à son tour le pronom *ul*, alors qu'à l'arrivée de Sébastien, il l'avait vouvoyé. La connaissance de la langue lunaire qu'Ashakh avait insufflée à Sébastien par magie couvrait aussi, sommairement, les connotations des pronoms. Le garçon sentit qu'Ashakh le tutoyait en présence des autres Suzeraines pour affirmer son rang. En un sens, c'était une attitude plutôt insultante, mais Sébastien était trop las pour s'en offusquer. Assis en tailleur sur le sol, il répondit d'un ton poli.

— En effet. Elle m'a interrogé pendant au moins une heure et demie.

— Si longtemps? (L'intérêt d'Ashakh s'était éveillé.) Que t'a-t-elle dit au juste?

Sébastien raconta l'interrogatoire. Les Suzeraines l'écoutaient avec attention. Quand il rapporta les déclarations de l'Héritière au sujet de la composante *cwar* de son esprit, plusieurs eurent des exclamations étouffées. Ashakh se mit à questionner Sébastien, pour préciser les détails de son histoire, mais le garçon protesta: «Il faut que je boive quelque chose, je n'ai plus de salive.»

— Il y a de l'eau dans la triste-cruche, dit une des Suzeraines en désignant un récipient dans un coin de la pièce.

Sébastien se leva — personne ici n'allait s'abaisser à le servir, cela allait de soi. Il s'approcha de ce que la Lunaire avait appelé *sfanshel-lurembrin*: une triste-cruche, en langue francque. Le récipient de céramique beige clair, haut d'un mètre cinquante, n'avait aucun couvercle visible. C'était un cylindre renflé au sommet, orné d'un visage sculpté en relief à mi-hauteur, dont le menton s'allongeait démesurément et se terminait en pointe. Une tasse à deux anses reposait sur le sommet plat de la cruche.

Sébastien prit la tasse et resta un instant indécis. Puis, mû par une intuition subite, il approcha la tasse du visage sculpté. Des larmes se mirent à couler des yeux et roulèrent le long du menton, avant de se déverser dans la tasse. Sébastien la remplit au quart et la retira; dès qu'elle s'éloigna du récipient, les larmes cessèrent. Pas une goutte ne resta prisonnière de la bonde: toute l'eau s'était écoulée dans la tasse. D'un doigt, Sébastien caressa le menton: il était absolument sec.

Le garçon étancha sa soif. L'eau de la triste-cruche était tiède et avait le parfum indéfinissable de l'eau que l'on buvait sur la Lune. Lui qui avait toujours préféré l'eau fraîche ou carrément froide, il comprenait soudain l'attrait de la tiédeur pour un palais lunaire: sur un monde où le froid sec était l'emblème de la surface inhospitalière et mourante, rien ne signifiait la vie plus qu'une eau tiède — tiède comme les larmes.

Il allait revenir auprès d'Ashakh et des Suzeraines quand il aperçut quelqu'un adossé au mur de la pièce. Il n'était pas facile d'y voir: la seule illumination provenait du feu et s'amenuisait étrangement vite, laissant les extrémités de la pièce dans une pénombre profonde. La personne, qui avait été allongée, se releva et le regarda. Sébastien reconnut avec un léger choc le visage blême encadré de cheveux noirs. La Suzeraine Azinou eut une moue indistincte avant de se recoucher, face au mur.

Sébastien revint auprès du feu. Il ouvrit la bouche pour poser une question à Ashakh, mais ce dernier secoua une main horizontalement avec une mimique impérative. Sébastien se borna donc à répondre à un nouvel interrogatoire, jusqu'à ce que la tête se remette à lui tourner.

Enfin, les questions des Suzeraines prirent fin. Elles engagèrent une discussion animée. Ashakh dit à Sébastien:

— Je te remercie. Tu peux aller te sustenter si tu le désires. Je voudrai te reparler, mais pas tout de suite.

Sébastien comprenait très bien qu'on le congédiait. La condescendance d'Ashakh commençait, malgré sa fatigue, à lui tomber sur les nerfs. Il se rappelait trop bien la première fois qu'il avait été amené en présence du Suzerain, chargé de chaînes comme un criminel...

— Et où voulez-vous que j'aille? demanda-t-il. Chez moi?

— Tu es libre de tes mouvements dans la section de Farglon où les Ennemis nous ont parqués, répondit Ashakh avec un froncement de sourcils. Va où cela te chante. Loriel est quelque part non loin: tu pourras facilement la trouver.

Sébastien se leva et se retira avec une courbette polie qui laissa les Lunaires déconcertées — le geste terrien n'avait clairement pas de sens ici. Tant pis. Sébastien se rendit à la triste-cruche et s'y abreuva une deuxième fois.

Maintenant qu'il savait qu'Azinou était là, il la distinguait sans trop de peine dans la pénombre. Elle restait couchée, la tête à demi enfouie entre ses bras. Le cœur de Sébastien cognait dans sa poitrine. La Suzeraine qui avait voulu le garder prisonnier, convaincue qu'il était un mage dangereux, sa seule véritable ennemie parmi les Lunaires... Il ressentait une vive envie d'aller lui parler, mais que diable aurait-il pu lui dire? Se moquer d'elle? Lui offrir ses condoléances? Lui adresser des reproches, se lamenter qu'elle l'avait injustement accusé? Cela ne lui apporterait rien. Et la mimique d'Ashakh lui laissait croire qu'il valait peut-être mieux ne pas insister pour le moment. Sébastien contourna le groupe des Suzeraines, qui discutaient avec énergie mais à voix basse, et sortit.

Les Décideuses soldates le laissèrent quitter les quartiers des Suzeraines. Sébastien retraça son chemin le long du corridor glacial et revint à la première pièce habitée. Il chercha Melinou du regard, mais elle n'était pas là. Les Lunaires de cette pièce étaient toutes des Obéissantes, la plupart vêtues de couleurs ternes et de tissu grossier — ce devaient être des travailleuses manuelles plutôt que des guerrières. Elles le regardaient toutes, en silence. Sébastien se risqua à adresser la parole à l'une d'elles.

— Excusez-moi. Je cherche... Je cherche Melinou, une soldate... ou Loriel. Où pourrais-je les trouver?

— Loriel? À l'hôpital, mon garçon. Tu sais comment t'y rendre? Non? Prends la porte au milieu de ce mur, monte l'escalier immédiatement à ta droite, va jusqu'au bout du passage. N'aie pas peur, elle va s'en remettre.

Sébastien resta surpris. Loriel, blessée? Que lui était-il arrivé, et pourquoi Ashakh n'en avait-il pas parlé? Conscient d'être observé par tout le monde, Sébastien traversa la pièce et monta l'escalier. Cette section de la forteresse portait les signes d'un long abandon, comme les couloirs déserts qu'il avait traversés à sa première venue en ces lieux. Le corridor au sommet de l'escalier avait été éclairé par de minuscules bulbes de verre au cœur desquels clignotait une flamme blanche. Mais la plupart des bulbes s'étaient éteints d'eux-mêmes avec le temps et on avait pallié avec des torches fichées dans des interstices du mur. Sébastien parcourut le corridor et déboucha dans une grande pièce basse de plafond.

L'endroit avait été aménagé en hôpital: une multitude de couchettes improvisées, la plupart au ras du plancher, remplissaient la salle. Quelques-unes abritaient des blessées, la plupart mutilées: des bras, des jambes manquaient. Non loin de Sébastien, deux Lunaires en habits noirs opéraient une blessée: la Lunaire avait serré les dents sur un linge pour se retenir de hurler tandis qu'on extrayait une esquille de métal de son abdomen. Sébastien, horrifié, vit émerger la pointe de métal souillée de sang pendant que la blessée étouffait ses cris dans le bâillon.

Une des chirurgiennes finit d'extraire l'esquille, l'autre prononça une incantation et posa la main sur l'abdomen de la blessée. Sébastien vit les lèvres de la plaie se refermer; un peu de sang perla aux commissures, mais ce fut tout. La blessée grogna de soulagement et arracha son bâillon pour mieux respirer.

Sébastien dut se retenir au montant du mur: la nausée l'envahit et il crut un instant qu'il allait vomir, mais le spasme passa. Il épongea son front où perlait une sueur glacée et alla se laisser tomber sur une couchette.

— Vous avez besoin d'aide? demanda une Lunaire, puis, d'un ton stupéfait: Mais qui êtes-vous?

Sébastien leva les yeux sur une autre docteure lunaire habillée de noir, qui le regardait bouche bée.

— Je... je suis venu pour voir Loriel, dit Sébastien.

— Loriel? Elle va bien, mais vous devriez la laisser se reposer, dit la docteure en désignant la blessée qu'on venait d'opérer. Vous n'êtes quand même pas son compagnon? Comment vous appelez-vous?

Sur la Lune, cette question, si un homme l'adressait à une femme, était jugée intime, mais l'inverse n'était pas vrai. Sébastien répondit à la docteure:

— Je suis Sébastien. Mais ce n'est pas Loriel, ça!

Leur discussion avait attiré l'attention des deux chirurgiennes. Celle qui avait prononcé l'incantation s'était approchée.

— Tu veux dire une autre Loriel, je crois, intervint-elle. Ça, c'est Loriel fille de Mielnaï, troisième Compagnie, cinquième Escouade. Tu parles de qui?

— Je ne sais pas le nom de ses parents. La Décideuse Loriel.

— Avec les siennes, dans la rotonde, deux niveaux plus bas. Retourne d'où tu viens et demande à ce qu'on te guide à la rotonde des Décideuses.

— Mais qui est-ce donc? demanda la docteure à sa collègue, désignant le jeune Margrave du doigt.

— Tu n'as pas entendu la rumeur? Les Ennemis ont demandé la présence d'un Globulaire. Ashakh lui-même s'est chargé de la chose; il s'est servi d'un enchantement d'appel pour faire venir un garçon du Globe, afin de prouver aux Ennemis que l'humanité existe sur d'autres sphères célestes. Ce ne peut être que lui. (À l'adresse de Sébastien:) Je me trompe?

— Non. Je vous remercie, et je m'excuse de la confusion. Je vais y aller…

La blessée poussa un gémissement de douleur. L'autre chirurgienne, qui était restée auprès d'elle, lui donna à boire. Sébastien sentit revenir son malaise premier.

— Qu'est-ce qui lui est arrivé? demanda-t-il, incapable pour l'instant de penser à autre chose.

— Elle a voulu mourir, dit la chirurgienne. Elle est sortie de notre section et a attaqué le premier Ennemi qu'elle a vu. Elle a reçu trois carreaux dans le ventre avant d'avoir pu porter un coup. Elle n'était pas très futée: si elle avait invoqué un charme, les Ennemis l'auraient tuée à coup sûr, mais la trêve tient tant que nous n'avons pas recours à la magie. Ils nous l'ont rendue, encore vivante. Elle pissait le sang… Il a fallu quatre opérations pour la sauver. Foutue *ao-sprassen*! Quand je pense à tout ce que nous avons fait pour une idiote qui va probablement récidiver dès qu'elle pourra tenir sur ses jambes… Enfin. Je suis médecin, pas Suzeraine. Je ne décide pas du sort des autres. Va retrouver la Décideuse Loriel, jeune Pesant. Tu n'as rien à faire ici.

Sébastien se leva et s'en fut sur des jambes molles. Dès qu'il fut hors de vue de l'hôpital et de la soldate Loriel, il commença à se remettre. La montée d'amertume de la chirurgienne autant que ses révélations l'avaient laissé ébranlé. Mais après tout, ce n'était pas si surprenant, vu la situation, que certaines des Lunaires attaquent leurs geôliers au mépris de leur propre vie, avec l'intention avouée ou pas de périr dans l'aventure. *Aosprassen* signifiait «gaspilleuse d'eau», mais avec une connotation extrêmement caustique. Sébastien eut l'impression que l'expression désignait quelqu'un qui, de par son existence même, représentait un gaspillage d'eau. Difficile de faire plus mordant comme insulte.

Avec l'aide d'une autre Obéissante, Sébastien traversa une enfilade de pièces abritant des Lunaires par centaines et finit par atteindre la rotonde où logeaient les Décideuses. La pièce, au toit en dôme, était bien éclairée par un chapelet de sphères lumineuses flottant au ras du plafond, comme des soleils miniatures. Les murs circulaires de la pièce avaient autrefois été percés d'ouvertures (des fenêtres?), mais celles-ci avaient été murées. De petits groupes de Décideuses occupaient des zones bien séparées de la salle; des soldates arpentaient le plancher, montant la garde plutôt stérilement.

Aucune des Lunaires ici présentes ne paraissait blessée, mais les vêtements de la plupart étaient abîmés: leurs ailes décoratives brisées, leurs longues tuniques en lambeaux, leurs coiffures à demi arrachées. L'extravagance vestimentaire de règle chez les Décideuses et les Suzeraines paraissait bien pathétique maintenant!

Sébastien entendit une exclamation: Loriel venait à sa rencontre. Elle le conduisit jusqu'à la section de la rotonde qui était la sienne. Trois autres femmes s'y partageaient un matelas taché de poussière et quatre ou cinq couvertures d'un tissu soyeux, à la splendeur plutôt incongrue.

— C'est ma mère Armiel, dit Loriel en lui présentant une femme dans la soixantaine, et voici ma sœur Alyurin. Elle, c'est Norilaï, une camarade d'institut.

Cette dernière expression signifiait quelque chose que Sébastien ne pouvait pas vraiment traduire. Il se contenta de saluer les trois femmes avec la même marque de respect. Alyurin avait environ dix ans de plus que Loriel, Norilaï était du même âge. Toutes deux étaient des Décideuses, mais le front de la mère de Loriel s'ornait d'un simple triangle: c'était une Obéissante.

— Tu as soif? demanda Loriel. J'ai de l'eau et de quoi manger, si tu veux.

Sébastien s'assit sur un coin du matelas et accepta avec gratitude une coupe d'eau et un quignon d'une sorte de pain grumeleux, rempli de petites graines dures qui libéraient une essence poivrée quand il les croquait.

— Qu'est-ce qui t'est arrivé? Raconte-moi, demanda Loriel.

C'en fut trop pour Sébastien.

— Ah non! Je ne recommencerai pas. Ashakh et les Suzeraines m'ont déjà essoré comme un torchon. Laisse-moi au moins me reposer un peu avant.

— Tu es très impoli avec ma fille, petit mâle, déclara Armiel. C'est une Décideuse, je te ferai savoir! Un hors-caste doit davantage de respect à une femme de son importance. Excuse-toi immédiatement!

— Ce n'est pas grave, Mère, dit aussitôt Loriel. Ne vous en faites pas pour lui. Il est mal élevé, mais il a bon cœur. Je lui pardonne ses incartades: c'est un ami.

— Tu peux te complaire en compagnie de qui tu veux, ma fille, mais je trouve que tu pourrais quand même mieux choisir... Je suppose que ce gamin a des «vertus cachées»?

— C'est assez, Mère! dit Loriel d'un ton où montait la colère.

Alyurin s'interposa entre sa mère et sa sœur.

— Venez, Maman, allons marcher un peu. Nous pourrions rendre visite à Lurluren.

— Oui, d'accord, dit la mère de Loriel d'un ton aérien. Peut-être qu'elle a eu des nouvelles de Brallinaï. Il serait plus que temps! On croirait qu'elle ne pense pas au tourment qu'elle nous cause!

— Oui, c'est vrai, Maman, dit Alyurin en s'éloignant, donnant le bras à sa mère, qui marchait comme une femme beaucoup plus vieille, aux os fragiles.

Loriel poussa un soupir et enfouit son visage dans ses mains. Norilaï lui frotta le dos et lui tapota les épaules, un geste de réconfort qui devait avoir le même sens ici que sur Terre.

Sébastien avait pensé s'excuser au début, mais les commentaires acides d'Armiel lui étaient restés en travers de la gorge. Il devinait le sens de l'euphémisme méprisant qu'elle avait employé. Cela en devenait exaspérant d'avoir été pris une nouvelle fois pour le compagnon de Loriel, surtout dans les circonstances. À sa grande surprise, ce fut Loriel qui s'excusa.

— Elle n'a plus toute sa tête, Sébastien, dit-elle. L'attaque a été un choc terrible pour elle. Elle n'est pas capable de penser à ce qui nous est arrivé, alors elle se réfugie dans des considérations sans objet... Et elle n'arrête pas de réclamer Brallinaï, comme pour nous torturer avec ça.

— Je ne comprends pas.

— J'ai deux sœurs. Brallinaï était l'aînée. C'était une capitaine. Elle était affectée au *spramell*. Elle est morte — sauf que nous n'en avons pas de preuves. Nous avons pu récupérer une partie des corps de celles qui sont tombées en défendant le *spramell*, mais pas plus d'un tiers. Les autres, les Ennemis ne nous les ont pas rendues, sans doute parce qu'il n'en restait pas assez pour identifier les cadavres... Il est possible, il y a une toute petite chance, que Brallinaï soit parvenue à s'échapper et à se cacher dans les recoins de la forteresse et qu'elle essaye en ce moment de nous rejoindre. Nous avons répété cela à ma mère au début, pour la calmer, et puis elle en a conçu une idée fixe. Elle attend le retour de sa fille aînée, et nous, nous ne pouvons pas lui dire que Brallinaï est morte, parce qu'elle était trop loyale pour même penser à fuir. Quand les Ennemis ont fait irruption à l'intérieur de Farglon, je suis sûre que Brallinaï était de celles qui sont immédiatement accourues pour nous défendre. Je ne doute pas qu'elle est tombée parmi les premières, et que son corps a été piétiné, brûlé ou taillé en pièces dans la bataille. Tu comprends?

— Oui. Je suis désolé, Loriel.

Et Sébastien, revenant sur sa décision, raconta à Loriel sa conversation avec Tellon-Kheveren. La Décideuse l'écouta sans poser de questions. Norilaï, elle, ouvrait de grands yeux et retenait sa respiration. Quand Sébastien eut achevé son récit, elle se mit à rire nerveusement, s'exclamant que tout cela était vraiment trop incroyable pour son petit cerveau. Loriel lui adressa un sourire plus agacé qu'autre chose.

— Toi qui rêvais d'aventures dans ta jeunesse, Norilaï, te voilà servie, hein?

Le visage de Norilaï se ferma, comme si Loriel l'avait blessée, puis elle s'esclaffa une nouvelle fois, d'un rire forcé.

— Pour ça oui, dit-elle, pour ça oui…

— Il faut que j'aille, dit Loriel. Tu vois les tentures bleues un peu en retrait de la paroi, Sébastien? Les toilettes sont installées là.

Elle soupira.

— Et si tu acceptes que je te laisse seul avec Norilaï, je crois qu'après, je vais aller voir Lurluren moi aussi, au cas où ma mère aurait besoin de moi…

Sébastien resta donc en compagnie de Norilaï, qui ne savait visiblement que lui dire. Elle finit par poser une question d'une naïveté exaspérante:

— C'est vraiment comme on dit, sur le Globe? Vous êtes tous des barbares assoiffés de batailles?

— Franchement, non, dit Sébastien. De votre point de vue, nous ne sommes pas très raffinés, mais nous avons des lois et des nations, nous connaissons les mathématiques et la musique, et nous savons fabriquer des machines compliquées. Vous n'avez pas de locomotives sur la Lune, que je sache?

— Je ne comprends pas ce mot.

— Un appareil mécanique mû par la vapeur, qui se déplace sur des rails de métal parallèles.

— Quoi, un genre de brouette magique? demanda Norilaï, d'un ton si candide que Sébastien pouffa de rire.

— Pas tout à fait, dit-il quand il eut repris son calme, mais je suppose qu'au fond ça revient à la même chose.

Il se rendit compte que Norilaï lui devenait sympathique. Si seulement la majorité des Lunaires avaient été comme elle et comme Melinou, Sébastien aurait pu souhaiter leur visite sur Terre, plutôt que de la craindre...

Du temps passa. N'ayant rien de mieux à faire, Norilaï écrivit dans la poussière pour lui apprendre l'alphabet lunaire. Les symboles de base étaient simples, mais chaque voyelle se compliquait d'une demi-douzaine de marques diacritiques possibles. Il y avait beaucoup de consonnes, beaucoup trop du point de vue de Sébastien; les Lunaires faisaient, par exemple, une distinction entre le *n* au début d'un mot et celui qui le terminait. Norilaï insistait sur le fait que ce n'était pas du tout le même son, avec force démonstrations à l'appui. Sébastien n'arrivait pas à faire la moindre différence entre les deux consonnes — cela, se dit-il, expliquait sans doute pourquoi Loriel lui avait autrefois dit qu'il avait un accent atroce.

Il lui fut plus facile de mémoriser les chiffres, qui avaient une ressemblance subtile mais réelle avec ceux qu'il avait toujours connus. Il devint rapidement capable de déchiffrer l'affichage du mesure-temps de Norilaï, une petite plaquette sur laquelle clignotaient des symboles: des chiffres lunaires indiquant heures, minutes et secondes.

Armiel et ses filles revinrent après quelques heures. Armiel affectait de ne pas voir

Sébastien, lequel ignora la vieille Lunaire en retour. L'éclairage des lieux ne variait jamais; Sébastien se sentait coupé du flot normal du temps. Il n'était même pas sûr que le mesure-temps lui donne un point de repère utilisable: une heure lunaire se divisait en cent minutes et une minute en cent secondes. Cela faisait dix mille secondes à l'heure, au lieu de trois mille six cents. Pas tout à fait trois fois plus. Il compta mentalement jusqu'à soixante, constata que cent cinq secondes seulement s'étaient écoulées. Il recommença, obtint un chiffre plus approprié de cent cinquante-huit secondes... Il décida de cesser de s'inquiéter avec tout cela et de supposer qu'une heure lunaire était identique à une heure terrestre.

Loriel était occupée avec sa mère; elles avaient une longue dispute, menée à voix basse. Alyurin se tenait entre les deux, comme une arbitre de lice vérifiant que les règles d'un combat de lutte étaient scrupuleusement respectées. Sébastien et Norilaï restaient à l'écart. Sébastien conversait avec la jeune Décideuse, mais sans animation: trop parler lui donnait soif et il n'avait guère envie de raconter à la Lunaire toute sa vie terrestre, ce qui lui aurait demandé de fournir des explications sans fin. Leurs silences se firent de plus en plus fréquents et prolongés.

Sébastien, habitué au bourdonnement constant d'activités autour de lui, finissait par se sentir mal à l'aise. Les Décideuses qui logeaient à la rotonde restaient assises ou étendues, conversaient tout bas, sans un éclat de voix, comme anéanties par la catastrophe qui les avait frappées.

Après une éternité, la querelle en sourdine d'Armiel et Loriel avait pris fin dans une effusion de larmes vite réprimées. Les trois parentes étaient épuisées par leur dispute. Loriel s'était allongée sur une portion du matelas et dormait, la bouche entrouverte, son souffle chuintant entre sa langue et son palais. Armiel, recroquevillée sur elle-même, dormait aussi, appuyée sur l'épaule d'Alyurin.

— On devrait dormir, dit Norilaï. Tu peux avoir le reste du matelas, je dors bien par terre.

Joignant le geste à la parole, elle s'allongea et ferma les yeux. Sébastien ne savait trop que faire. Il se sentit soudainement envahi par le désespoir. Comme toutes les Lunaires de Farglon, il n'avait plus qu'à attendre il ne savait trop quoi. Ashakh lui avait laissé entendre qu'il voudrait lui parler plus tard, mais quand? Ce que Tellon-Kheveren lui avait dit avait semblé fasciner les Suzeraines — mais quelles conséquences ces révélations auraient-elles?

Sébastien vit en imagination la forteresse de Farglon, immense bâtiment dont seules les parties enfouies sous terre survivaient encore, perdue au milieu des sables du désert lunaire, à une distance inconcevable de la Terre verte et fertile. Il se sentit indiciblement seul, oublié et abandonné. S'il avait pu, il aurait pleuré. Il s'allongea à côté de Loriel, replié sur lui-même, et tenta de trouver refuge dans le sommeil.

2
Le *spramell*

Une conversation au ton aigre l'éveilla.

— Nous sommes cinq, pas quatre.

— Hé, moi, j'ai quatre personnes sur le registre, Décideuse. Ça ne me regarde pas.

Sébastien s'assit. Il occupait seul le matelas: ses compagnes étaient debout, auprès d'un trio d'Obéissantes qui transportaient des sacs remplis de nourriture sur un chariot de fortune. Un arôme de pâte cuite émanait des sacs.

— Moi, je compte quatre *personnes*, disait Armiel.

Sébastien se releva et s'approcha de la scène.

— Tu as vu? demanda Loriel à l'Obéissante avec laquelle elle se disputait. C'est un mâle. Tu vas le laisser mourir de faim, c'est ça?

L'Obéissante paraissait de nature butée. Elle désigna muettement la feuille de papier qu'elle tenait, sur laquelle on avait dessiné un plan de la rotonde. Le chiffre 4 était écrit à l'emplacement correspondant au matelas que se partageaient la famille de Loriel et Norilaï. Mais les deux autres Obéissantes, apercevant Sébastien, s'empressèrent de lui servir personnellement une double ration, ignorant les protestations de la troisième.

Sébastien, malgré sa gêne, accepta la nourriture. La scène avait attiré des regards curieux, mais maintenant que les Obéissantes chargées de la distribution continuaient leur chemin, l'attention des Décideuses se portait davantage sur la nourriture qu'on allait leur servir.

Les compagnes de Sébastien s'assirent pour manger. Il les imita, soudain conscient qu'il avait très faim. Mais même si sa bouche s'emplissait douloureusement de salive, il se força à demander à Loriel:

— C'est vrai, ce qu'elle disait? Que je mange la part des autres?

Il se rappelait un incident de sa jeunesse, où il avait réclamé à cor et à cri qu'on lui serve une deuxième portion. Cette fois-là, son père le Margrave était au château et mangeait avec lui. Quand Sébastien avait crié qu'il se mourait de faim, le Margrave, d'une voix glaciale, lui avait déclaré:

— Vous savez, Sébastien, l'hiver venu, des paysans meurent parfois littéralement de faim. Des hommes dans la force de l'âge, des femmes, des enfants, se couchent et meurent, faute d'avoir de quoi se remplir le ventre. Est-ce votre cas?

Le jeune Sébastien, saisi de peur, avait fait non de la tête.

— Quand un de mes sujets trépasse, avait poursuivi le Margrave, c'est une perte irrémédiable pour la Marche. Il est intolérable que l'un d'eux meure de faim quand moi, je suis en mesure de m'empiffrer. Trois années de suite, juste avant votre naissance, j'ai puisé dans mes coffres pour nourrir à mes frais les villageois de Kantebruin, de Velons et de Schagburg, dont les récoltes avaient été détruites par le mildiou écarlate. Quand un Margrave mange alors que ses sujets ont faim, c'est comme s'il se nourrissait de leurs cadavres. Ne l'oubliez jamais, Sébastien.

Mortifié, Sébastien avait passé le reste du repas au bord des larmes. On lui avait bel et bien servi la deuxième portion demandée, mais son estomac s'était noué et il n'avait pas desserré les dents. Il n'avait jamais oublié la leçon, toute cruelle fût-elle. Avec le recul des années, il pouvait mieux juger des motivations de son père et même presque les admirer: le Margrave Théodore avait à cœur le bien-être de ses sujets — l'humiliation de son fils était un mal nécessaire, de son point de vue. Il lui fallait apprendre que d'être un Margrave, ce n'était pas seulement commander: c'était se charger de la responsabilité de milliers d'existences.

Ainsi, Sébastien était incapable de manger un morceau à l'idée qu'il venait de voler les rations de quelqu'un d'autre. Il fallut que Loriel le rassure à deux reprises: la récolte de champignons suffisait amplement, une escouade de cuisinières s'affairait à produire les repas et on comptait toujours quelques portions en surnombre.

— Elle devait compter en profiter elle-même, dit la Lunaire. S'il reste quelques galettes dans leurs sacs après la distribution, dis-toi bien qu'elles ne doivent pas se gêner pour les manger. Allez, mange, tu me fais peur avec ton expression d'enfant malade. Mange, te dis-je!

Sébastien mordit dans la galette, fourrée d'une macédoine chaude et qui piquait la langue. Quand il l'eut terminée, il insista pour partager la seconde avec ses compagnes. Armiel fit comme s'il n'avait rien dit, mais les trois jeunes femmes acceptèrent chacune un quart de galette. Norilaï alla à une des tristes-cruches disposées ici et là dans la rotonde, emplir une gourde d'eau que tous se partagèrent.

L'estomac plein, sa soif étanchée, Sébastien se sentait immensément mieux. Les quatre Lunaires lui paraissaient devenues presque des amies, même si Armiel continuait de l'ignorer. Il prit conscience que son statut de Margrave l'avait isolé tout le long de son existence; ici, justement parce qu'il n'avait pas et n'aurait jamais le pouvoir de commander, il se sentait comme si une barrière entre lui et les autres s'était effacée.

Et pourtant, quelle sottise de penser cela, lui qui était un étranger, un mâle de surcroît. Si Melinou, si Norilaï se montraient amicales, n'était-ce pas parce qu'elles le voyaient comme un presque enfant, l'emblème de ceux qu'elles aimaient et qu'on leur avait enlevés?

Il était assis sur le rebord du matelas, serré entre Loriel et Norilaï qui se déplaça pour laisser un peu plus de place à Alyurin et se retrouva appuyée contre l'épaule de Sébastien. Le jeune Margrave sentit la tiédeur de la chair de Norilaï contre la sienne et décida qu'il préférait tout de même être en compagnie de gens qu'il ne connaissait pas et qui ne l'appréciaient pas pour qui il était vraiment, que de se retrouver seul parmi les *hispix* qui avaient conquis Farglon.

* * *

Peu après le repas, une messagère vint chercher Sébastien, pour l'emmener auprès d'Ashakh.

La pièce où résidaient les Suzeraines de Farglon avait radicalement changé d'apparence, au point où Sébastien douta d'être au même endroit de la forteresse. La salle, éclairée par des lustres flottant dans les airs, était divisée en multiples sections par des murs de pierre ou de bois. Ces murs scintillaient dans la lumière comme si de l'eau y perlait, et des œuvres d'art, tableaux ou sculptures, ornaient les lieux.

Ce n'est pas possible, se dit Sébastien. *Comment tout ceci peut-il être resté intact, dans une section de Farglon qui était autrefois abandonnée?*

Sébastien entendait des bruits de pas, qui lui causaient un étrange malaise: l'impression qu'il avait immensément grandi sans s'en rendre compte... Il ferma les yeux et le malaise disparut. Il comprit alors: quand seule son ouïe le renseignait sur les lieux, il sentait qu'il se trouvait à nouveau dans la grande salle presque nue où les Suzeraines de Farglon l'avaient accueilli la première fois. Mais sa vue le persuadait qu'il se trouvait dans une petite antichambre de trois mètres sur quatre, où les sons n'auraient jamais dû avoir la résonance des pas qu'il entendait.

Tout le décor n'était que des illusions, donc. Comme celles que pouvaient évoquer Patience et Mortimer, mais immensément plus détaillées.

Une Obéissante engoncée dans une robe qui frôlait le sol conduisit Sébastien jusque dans une des sections et lui intima d'y attendre Ashakh. Le garçon patienta quelques minutes, observant les deux sculptures adossées à un pan de mur.

L'illusion était parfaitement convaincante, décida-t-il. Mais affectait-elle le sens du toucher également? Après une brève hésitation, il avança la main pour effleurer une statue. Elle passa au travers de l'objet, déformant son apparence comme une main plongée dans un bassin d'eau déforme l'image que renvoie sa surface. Sébastien la retira aussi vite, mais la sculpture resta endommagée en un endroit, indistincte et effilochée, comme un dessin sur lequel il aurait passé un pouce détrempé d'huile.

— Ne touche pas aux illusions, dit Ashakh qui venait d'entrer, elles ne supportent pas le contact.

— Je... Je suis désolé, dit Sébastien. Je ne savais pas que cela pouvait se produire.

— Ne t'en fais pas, c'est sans grande importance. Et après tout, on ne peut pas demander à un Globulaire de connaître les vulnérabilités des enchantements d'Illusion, remarqua le Suzerain d'un ton condescendant. Passons aux choses sérieuses. Nous avons eu une discussion fort productive. Tes informations nous ont été précieuses. Je suis particulièrement impressionné par ta relation avec Tellon-Kheveren. Elle ne s'est jamais montrée aussi loquace avec qui que ce soit d'entre nous, à part Azinou. Je considère cela comme un atout important.

— Un atout? Dans quel sens?

— Pour notre lutte, voyons! Grâce à ton statut, tu vas nous être utile, peut-être même indispensable. L'intérêt que te porte l'Ennemie te permet de l'approcher encore, peut-être plusieurs fois. C'est une vulnérabilité qui se dessine dans leurs défenses et dont ils ne sont même pas conscients. Je vais t'expliquer comment tu vas exploiter cette faiblesse. La tâche implique très peu de risque...

Sébastien, surpris et agacé, fronça les sourcils, interrompit le Suzerain.

— Vous voulez me donner des ordres maintenant, après m'avoir trompé et trahi?

Ashakh resta un instant interdit, puis il argumenta:

— Je sais que tu ne fais pas partie de la communauté de Farglon et que tu as des raisons de nous en vouloir de t'avoir amené ici. Mais tu es un être humain, comme nous, au contraire des *hispix* qui nous oppriment. Tu dois loyauté à ton espèce, quand même. Et c'est moi qui t'ai aidé à t'échapper d'ici il y a six mois: il est impensable que ton *iren-prill* n'en tienne pas compte!

Ashakh faisait référence à une notion qui correspondait à peu près au sens du devoir, à une obligation morale — mais qui était d'autant plus forte que la caste d'une personne était basse. Une Obéissante n'aurait pu imaginer résister aux ordres du Suzerain; une

Décideuse pouvait à la limite les contourner. Au moins Ashakh ne traitait-il pas Sébastien comme un simple Obéissant...

— Cesse de regimber et écoute-moi, continuait Ashakh.

Le ton du Suzerain était si arrogant que Sébastien sentit une sérieuse irritation le gagner. Il ouvrit la bouche pour répliquer; Ashakh eut une exclamation d'impatience et de mépris. Cela acheva de provoquer le jeune homme.

— Assez! Je ne suis ni un Obéissant ni un Décideur, Ashakh. Je suis le Comte de la Marche Orientale.

— Je sais, tu es le chef de ton district local...

— Je suis le seigneur de cent fois plus d'âmes qu'il n'y en a à Farglon. Chez moi, les Suzeraines de votre forteresse ne seraient même pas les égales d'un de mes barons vassaux.

Ashakh gonfla les narines, passa une main dans ses cheveux pâles coupés courts comme pour se forcer au calme.

— Tu te montres d'une insolence à couper le souffle, garçon.

— Je ne mérite pas que l'on s'adresse à moi comme à un mâle dépourvu de rang, surtout pas si l'on désire me confier une mission importante pour la forteresse de Farglon. Vous avez toujours été poli avec moi jusqu'ici. J'exige que vous continuiez à l'être. Je suis *arn*, pas *ul*.

— Comme *vous* voudrez, Sébastien, dit Ashakh. Est-ce que ce pronom vous convient davantage?

Les yeux d'Ashakh étincelaient et Sébastien prit un peu tardivement conscience du danger qu'il courait à défier ainsi le Suzerain. Et pourtant, il sentait qu'il avait eu raison. Ce n'était pas seulement de la colère qu'il voyait dans le regard d'Ashakh mais aussi un certain respect. Il inclina légèrement la tête et répondit d'un ton posé.

— Je suis prêt à vous écouter, Ashakh.

Ashakh se racla la gorge et continua.

— J'ai envoyé une messagère auprès de Tellon-Kheveren en demandant une visite au *spramell*, afin de vérifier que nos mâles et nos enfants se portent bien. Depuis que les *hispix* nous ont envahis, il y a déjà eu une dizaine de ces visites. Cette fois-ci, j'ai demandé que le visiteur, ce soit vous.

— Moi? Mais pourquoi?

— Parce que Tellon-Kheveren semble éprouver de l'affection pour vous, une émotion sur laquelle je veux capitaliser.

— De l'affection... Je ne sais pas si j'aurais employé ce mot-là.

— Croyez-moi, par comparaison à son attitude à notre égard, elle est éperdument amoureuse de vous. Elle devrait chercher à vous revoir. En vous envoyant au *spramell*, je lui donne une occasion de le faire.

— Euh... Et alors? Vous voulez que je lui parle encore, pour lui soutirer davantage d'informations?

— En substance, c'est cela. Mais je cherche aussi à la déstabiliser mentalement. Vous nous avez dit, n'est-ce pas, que vous vous étiez demandé si elle était un peu démente? Eh bien, je me pose la même question. Tellon-Kheveren se prétend une émulation humaine, mais je ne crois pas qu'elle parvienne à approximer l'esprit humain aussi bien qu'elle se l'imagine. Les *hispix* ne peuvent pas vraiment penser comme les êtres humains; j'ose espérer que Tellon-Kheveren est sur le point de s'effondrer sous le poids de ses propres contradictions. Votre présence pourrait précipiter cet effondrement.

— Vous espérez la rendre complètement folle, en un mot?

— Exact. Ne prenez pas cet air dégoûté; vous n'allez pas me dire que vous éprouvez de la compassion pour cette monstruosité? Je vous rappelle que ses soldats ont tué quatre cents des miennes dans leur attaque. Le quart de la population de Farglon est mort en quelques heures. Vous avez encore envie de verser une larme sur le sort de Tellon-Kheveren?

Sébastien resta silencieux quelques secondes. Il finit par dire:

— Vous essayez quelque chose presque au hasard en m'envoyant au *spramell*. Allez-vous me dire que vos plans s'arrêtent là?

— Bien sûr que non. Mais la stratégie d'ensemble de nos actions est un sujet que les Suzeraines et moi décidons en privé. Je ne vous intégrerai pas à notre conseil de guerre. Et quant à cette visite du *spramell*, j'ai reçu une réponse positive de Tellon-Kheveren: on vous attend. Toutefois, si vous refusez de vous charger de la tâche, j'en informerai nos geôliers et je désignerai quelqu'un d'autre.

Sébastien soupira et se rendit.

— Soit, dit-il, vous m'avez convaincu. J'irai visiter le *spramell* et, si Tellon-Kheveren demande à me voir par la suite, j'irai parler avec elle, je mémoriserai toutes ses paroles et je vous les rapporterai fidèlement.

— Fort bien, dit Ashakh. Puisque vous acceptez, j'aimerais vous confier un message spécial.

— Oui? demanda Sébastien, qui s'imaginait déjà Ashakh lui murmurer une phrase secrète à l'oreille: le signal d'une insurrection armée, le déclencheur d'une terrible magie qui allait libérer les Lunaires du joug des Héritiers...

— Le message est pour ma sœur Silaraïl. Dites-lui que je l'aime. C'est tout.

Stupéfait, Sébastien ne put que tourner muettement sa paume vers le haut.

* * *

La visite était prévue pour cinquante-cinq heures; le repas ayant été servi à trente-deux heures, Sébastien avait encore bien du temps à perdre. Il retourna donc à la rotonde des Décideuses, où il laissa couler les heures. La perspective de sortir de cet environnement morne lui donnait la force de supporter l'attente. Il se demanda comment faisaient les Décideuses, elles qui étaient prisonnières ici depuis des semaines...

Certaines dormaient presque tout le temps; d'autres conversaient; beaucoup, découvrit-il, jouaient. Lassées de rester assises à gaspiller leur salive, Loriel et Norilaï l'emmenèrent auprès de quelques groupes de joueuses. Certaines jouaient aux cartes, avec des paquets comptant six couleurs et un assortiment d'atouts aux noms insolites: le Vaisseau d'Argent, la Potence Charitable, les Trois Oublis... D'autres pratiquaient, avec des boutons et des éclats de céramique, sur un tableau dessiné à même le plancher, un jeu de pions qui ressemblait au quinconce auquel Sébastien avait parfois joué avec le capitaine Aubert. Le but n'était toutefois pas d'aligner cinq pions mais plutôt de créer des figures complexes, que la moindre imperfection condamnait à la capture. Les joueuses employaient un jargon qui restait parfaitement opaque pour Sébastien et les parties s'éternisaient, ponctuées de commentaires cryptiques.

Tous trois retournèrent finalement au matelas que se partageait leur groupe. Un autre repas fut servi: une bouillie tiède où nageaient des tranches de champignons marinés, que Sébastien dut avaler en se pinçant le nez tant leur goût le rebutait. Le jeune Margrave s'allongea pour dormir — encore quinze heures à passer avant la visite! — et eut un sommeil maussade, entrecoupé de rêves où des joueuses de quinconce plaçaient, l'une des crânes humains, l'autre des coupes emplies d'eau, sur les intersections du tableau.

«Trente, dix-huit», disait l'une, qui était Loriel et Norilaï à la fois. L'autre joueuse déposait une coupe au milieu d'un triangle de crânes et capturait deux des pièces adverses. «Pas de maison, il te manquait un puits.» Sébastien avait tellement soif... «Jeu sous les pierres», annonçait Loriel/Norilaï, et elle prenait trois des coupes, sans en offrir une seule à Sébastien, qui essayait de l'agripper par l'épaule pour qu'elle lui donne ne serait-ce qu'une gorgée. L'adversaire enlevait le voile qui masquait son visage: c'était Azinou. Elle jetait un regard furieux à Sébastien. «Tu m'as abandonnée», disait-elle. «C'est ta faute si je suis tombée si bas. Si tu étais resté avec moi, j'aurais assuré ma puissance, et tu aurais été mon compagnon. Après tout, c'est toi qui m'as demandé mon nom.»

Et maintenant Sébastien embrassait Azinou à pleine bouche. Elle était aussi la jeune paysanne rousse qui l'avait abordé, deux ans auparavant, lors des fêtes de la Nativité, et lui avait souhaité «Heureuse Vaïnachte, Monseigneur!» avant de lui planter un bref baiser sur les lèvres et de s'enfuir à toutes jambes, poursuivie par les imprécations scandalisées du vieux Wolf.

Azinou descendit ses mains le long du dos de Sébastien et lui mordit soudain la lèvre inférieure. Le jeune homme s'arracha de la poigne cruelle de la Suzeraine et se réveilla en sursaut, le front baigné de sueur. À ses côtés, Loriel et sa famille dormaient. Norilaï était roulée en boule au pied du matelas.

— Calme-toi, petit mâle, tu rêvais, dit à voix basse une Décideuse blonde assise non loin d'eux. Ne t'inquiète de rien. Tout va bien aller. Dors, repose-toi.

Sébastien lui adressa un pâle sourire et se recoucha, non sans avoir jeté un coup d'œil au mesure-temps de Norilaï. Quarante-trois heures seulement. Si l'attente lui était si pénible maintenant, que se passerait-il quand il serait revenu du *spramell* et n'aurait plus rien d'autre à espérer?

* * *

Enfin, le moment de la visite arriva. À nouveau, des soldates vinrent chercher Sébastien, à la surprise de Norilaï et d'Armiel, mais non pas de Loriel, que Sébastien avait mise au courant. Il fut conduit auprès d'Ashakh et d'une Suzeraine, qui lui remirent un sauf-conduit: un médaillon de métal gris-violet, apparemment de la même substance que celle qui composait la carapace des *hispix*. Les Suzerains lui répétèrent les mêmes instructions qu'auparavant. Ashakh ne fit aucune allusion à sa sœur et Sébastien pas davantage, se bornant à assurer les Lunaires qu'il accomplirait tout ce qu'on lui avait demandé.

Une demi-douzaine de soldates accompagnèrent Sébastien à travers le couloir plongé dans l'obscurité, jusqu'à l'antichambre où les Ennemis montaient la garde. Trois Ennemis l'attendaient; ils vérifièrent le sauf-conduit et escortèrent Sébastien à travers les couloirs de Farglon. Le jeune Margrave essaya de mémoriser le chemin qu'il suivait, au cas où cela lui serait utile, mais le dédale des passages était étourdissant. Au détour d'un large couloir, un trou béant s'ouvrait dans le plancher. Sébastien devina que c'était l'ouverture par laquelle les *hispix* avaient fait irruption au sein de la forteresse. À peine vingt-cinq mètres plus loin, les portes massives du *spramell* avaient été bloquées en position ouverte. Un détachement d'Ennemis montait la garde devant les portes; le sauf-conduit de Sébastien lui ouvrit le passage.

Une seule de ses trois escortes resta avec lui, marchant tout près de lui. Si ç'avait été un être humain, Sébastien l'aurait entendu inspirer et expirer. Mais les *hispix* ne semblaient pas respirer — et pourtant si: en tendant l'oreille, le jeune homme entendait un très faible chuintement, absolument régulier, comme le murmure d'une brise à travers les fentes d'un volet.

Les salles extérieures du *spramell* étaient dévastées: tout y était brisé, brûlé, détruit. Le cœur de Sébastien se serra, mais, au sortir de ces ruines, une féérie s'ouvrit à lui, le laissant bouche bée.

Les pièces intérieures du *spramell* formaient une enfilade de fausses grottes aux murs couverts de mousse. Dans presque chaque pièce coulait une fontaine, se déversant dans un bassin où nageaient de minuscules poissons dont les écailles étincelaient dans la lumière chaude qui émanait de globes flottant dans la brise. Un mobilier délicatement ouvragé occupait le sol dallé: des paravents de tissu peint, tendus sur des cadres de bois, délimitaient des espaces à l'intérieur de chaque salle.

Les mâles survivants de Farglon étaient tous ici: depuis de tout jeunes hommes jusqu'aux vieillards, tous des hors-caste confinés à la reproduction de l'espèce. Sébastien s'était attendu de leur part à une certaine retenue vestimentaire, à l'image d'Ashakh qui se vêtait de manière quasi austère pour un Suzerain. Mais c'était tout le contraire: les costumes extravagants des Décideuses avaient l'air terne à côté des accoutrements invraisemblables que portaient les mâles de Farglon.

Tous ou presque avaient les cheveux longs, généralement tressés et ornés de rubans. Leurs barbes et leurs moustaches étaient longues et soigneusement entretenues. Si quelques-uns, les plus jeunes et les plus en forme, ne portaient qu'un strict minimum, laissant voir la moindre fibre de leur musculature, la plupart empilaient les vêtements, portant un manteau par-dessus une veste par-dessus un plastron de dentelle par-dessus une chemise de soie par-dessus un maillot de corps au col cheminée. Même s'ils étaient plus petits que les femmes lunaires, les semelles de leurs bottes leur accordaient bien dix centimètres supplémentaires.

Et tous, sans exception, étaient maquillés comme pour la Cour impériale. Quelques années auparavant, Wolf le castellan avait expliqué à Sébastien que la mode exigeait que l'on se poudre le visage à la Cour et que l'on applique du khôl sur les paupières; il lui avait même donné une démonstration. Sébastien s'était contemplé dans un miroir, surpris de la transformation: il avait l'air d'un comédien prêt à jouer le rôle du vieux Partallen dans une des farces du répertoire classique.

Les mâles lunaires étaient tous poudrés afin de pâlir leur visage; leurs lèvres étaient soulignées par un trait rose, leurs pommettes ombrées de fard violet. Plusieurs avaient peint un symbole noir sur une joue. Avec un choc, Sébastien comprit soudain à quoi ils lui faisaient penser. Au clown de tissu, le jouet magique du château de la Marche Orientale qui chantait et dansait. Ce n'était pas un clown. C'était un jeune garçon du *spramell*, aux traits pâlis par la poudre, aux joues soulignées par le fard. Il fut soudain certain de comprendre pourquoi Lorann avait emporté ces jouets hors de Farglon: parce qu'il ne voulait pas perdre le souvenir de ceux qu'il avait laissés derrière, les autres mâles de la forteresse, ceux qui assuraient la survie de l'espèce sur les marches de la Lune morte.

Lorann savait, se dit-il, *il savait qu'il n'y avait pas d'avenir sur la Lune, qu'il fallait émigrer sur le Globe pour échapper à la stérilité qui frappait les siens...*

Dès son entrée dans les salles intactes, Sébastien avait été accueilli par un trio de mâles âgés, dont les longs cheveux blancs flottaient librement. Leurs vêtements encroûtés de pierres semi-précieuses et les lourds bracelets de fer et d'or à leurs poignets semblaient indiquer un rang élevé — du moins parmi les hors-caste de Farglon. Ils s'étaient montrés surpris de sa présence, mais le sauf-conduit les avait rassurés. Ils ne lui posèrent aucune question et le menèrent à travers les salles du *spramell*. L'un d'eux répéta plusieurs fois que toute la population était aussi bien portante que possible, vu les circonstances. Sébastien se demanda si le vieil homme essayait, par ses déclarations insistantes, de lui faire comprendre que la situation était tout autre. Si c'était le cas, le vieux Lunaire se montrait trop subtil pour Sébastien. Certes, les visages qu'il voyait n'arboraient nulle expression de joie ou de plaisir, mais somme toute les mâles du *spramell* ne paraissaient pas plus malheureux que leurs compagnes parquées à l'autre bout de Farglon...

Il y avait aussi des enfants au *spramell*, presque exclusivement des filles, bien sûr. Témoignant de l'inconscience propre à leur âge, les enfants couraient et criaient sans retenue — sauf quand ils apercevaient l'Ennemi accompagnant Sébastien; alors ils s'enfuyaient à toutes jambes et leurs cris n'avaient plus rien de joyeux.

Sébastien et son escorte traversèrent encore quelques salles avant d'arriver à la destination finale. À ce moment, l'Ennemi, qui avait marché à ses côtés depuis tout ce temps, sans dire un mot, et que les mâles lunaires avaient ignoré comme s'il n'existait pas, s'interposa entre Sébastien et la porte menant à la salle des naissances.

— Je dois voir les femmes enceintes, dit Sébastien, dont le cœur s'était mis à cogner. Laissez-moi passer.

L'Ennemi répondit d'une voix presque criarde. Il prononçait mal les consonnes de la langue lunaire; on aurait presque cru qu'il zézayait.

— Soyez averti: je suis ici pour vous tuer s'il le faut. Ne tentez aucune magie: je vous tuerai. La trêve ne couvre pas l'usage de la magie. Je vous tuerai.

Ayant livré sa menace, l'Ennemi fit un demi-pas de côté. Sébastien avala sa salive, le contourna et passa la porte. L'Ennemi le suivit de si près que le jeune Margrave ne put s'empêcher de rentrer la tête dans les épaules.

Le cœur du *spramell* était ici: la salle des naissances était protégée par des portes à triple épaisseur. Si le reste du *spramell* paraissait un havre de paix et de douceur, la nature guerrière de la forteresse redevenait évidente à cet endroit. Hélas, au moment de l'attaque des *hispix*, Farglon ne s'était doutée de rien: les portes étaient grandes ouvertes et n'avaient pu être refermées à temps.

Quatre femmes occupaient les petites chambres individuelles qui donnaient sur l'atrium central. Six mâles lunaires, vêtus des habits noirs des médecins, s'occupaient d'elles en permanence. Ils furent ébahis de la présence de Sébastien, qui leur servit pour une quatrième fois l'explication de sa présence sur la Lune, en gardant les détails au minimum absolu. Quand il eut achevé, il leur demanda comment se portaient leurs patientes.

Un des médecins soupira.

— Assez bien, tout compte fait. Elles sont convenablement nourries et abreuvées. Nous ne pouvons pas nous plaindre.

Sébastien hésita, jetant un regard en biais à l'Ennemi qui les considérait de ses quatre yeux, fentes horizontales dans un visage inexpressif, comme un masque cauchemardesque.

— Comment puis-je faire référence à elles dans la conversation? demanda le jeune Margrave, utilisant la formule consacrée pour un mâle qui demandait le nom d'une femme.

— Eh bien, ce sont Gyurlin, Mellanaï, Silaraïl et Islariel, dit le médecin, un peu surpris de la question.

Sébastien se décida. Il franchit le seuil de la pièce où reposait la sœur d'Ashakh. Le garde Ennemi émit une protestation et lui agrippa le bras. Sébastien se retourna et dit avec un flegme absolu:

— Je vais m'assurer de la santé d'une des femmes enceintes. Laissez-moi accomplir la tâche dont on m'a chargé, ou sinon c'est vous qui ne respectez plus la trêve.

L'Ennemi hésita, puis les trois doigts griffus de sa main relâchèrent leur prise. Le tissu de la blouse de Sébastien avait été lacéré en trois endroits. Sa peau gardait la marque profonde de la pointe des griffes. Une goutte de sang perlait au creux d'une des marques. Sébastien sentait que, si l'Ennemi avait serré sa prise un peu plus fort, il aurait labouré les chairs et sans doute rompu l'os comme un fétu de paille...

Ses jambes le brûlaient comme si elles refusaient de le porter. Sébastien oublia sa peur avec un effort de volonté, serra les dents et s'avança vers la Lunaire qui occupait le lit au centre de la pièce.

Silaraïl le regardait avec des yeux brillants, comme si elle était fiévreuse. Elle était étendue sur le dos, une main posée sur son abdomen distendu par la grossesse.

— Un tout jeune homme, dit-elle, dans un demi-soupir. Je t'ai entendu parler; tu es envoyé par les Suzeraines, mais tu viens du Globe... Comment est-ce possible? Oh, comme j'ai chaud!

Elle s'épongea le front avec un chiffon qu'elle tenait serré dans son autre main.

— Je suis envoyé par Ashakh, dit Sébastien à mi-voix, se penchant au-dessus d'elle. Il m'a demandé de vous dire que... qu'il vous aime.

Elle cligna des yeux deux ou trois fois, puis répondit à côté.

— J'ai toujours faim ces jours-ci. Et je voudrais de la crème de morilles, j'en ai tellement envie, mais il n'y en a plus. La dernière récolte a été dévastée par la guerre. Il n'y aura pas de morilles avant des semaines, ou des mois. Je dois me contenter d'amanites sucrées, mais ce n'est pas pareil…

Elle saisit la main de Sébastien soudainement, et la serra avec une force surprenante, lui broyant presque les phalanges.

— Dis à Ashakh, souffla-t-elle, dis-lui que l'enfant ne se rendra pas à terme. Il faiblit; avant, il donnait sans arrêt des coups de pieds, mais maintenant presque plus. Je sens qu'il va mourir avant de naître.

Elle pleurait et haletait. Un des médecins était entré. Il força Silaraïl à boire une rasade d'un liquide pâle. Elle se calma immédiatement et sombra bientôt dans la torpeur.

Sébastien, ébranlé, sortit de la pièce aux côtés du médecin.

— Elle disait vrai? lui demanda-t-il.

— Rien n'est encore joué, dit le Lunaire d'un ton morne. Elle ne peut pas savoir avec certitude. Mais… ses chances ne sont pas très bonnes.

Sébastien se rappela ce qu'il savait de sa propre naissance; la gorge serrée, il demanda:

— Elle… elle ne survivra pas si l'enfant meurt?

— Je n'ai pas de craintes pour la mère, dit le médecin. Elle est forte, elle s'en sortira certainement. Mais un troisième enfant mort-né est un dur coup pour l'âme la plus solide. Elle pourrait sombrer dans le *wallaïn iridelspar*.

— Le quoi?

— Le... chagrin irrémédiable qui s'empare de certaines femmes lorsqu'elles doivent admettre qu'elles ne pourront jamais enfanter.

Sébastien regarda le médecin un long moment en silence, glacé par cette autre manifestation de la tragédie au cœur de la civilisation lunaire. Puis son regard se reporta vers l'Ennemi qui se tenait tout proche, la lame en croissant de son arme levée comme pour frapper.

— Votre visite est terminée, maintenant, disait l'*hispix* de sa voix aux harmoniques inhumaines. Vous avez vérifié que nous respectons la trêve. Partez, maintenant. Partez, maintenant.

Le jeune Margrave salua les médecins et s'en fut, l'Ennemi sur ses talons, qui lui répétait de partir immédiatement.

Celui-là est stupide, pensait Sébastien. *Les Ennemis ont eux aussi des imbéciles et des génies dans leurs rangs. Mais à quelle catégorie appartient Tellon-Kheveren?*

3
Une leçon de sciences naturelles

Au lieu de retracer leur chemin en sens inverse, les trois Ennemis qui escortaient Sébastien le menèrent à un escalier qui obliquait, autant qu'il puisse en juger, vers le centre de Farglon. Sébastien demanda où ils allaient ainsi, mais les *hispix* ne daignèrent pas lui répondre.

Ils croisèrent des groupes d'Ennemis, de plus en plus fréquemment. Ils s'approchaient certainement du centre de la forteresse, là où se concentrait l'activité des envahisseurs. Mais au lieu de se retrouver en présence de Tellon-Kheveren comme il s'y attendait, Sébastien fut conduit à une pièce longue et étroite, dont le plancher comme les murs étaient recouverts de petits carrés de céramique. La couleur des carreaux variait du blanc crème au brun foncé, sans qu'un dessin soit visible. Au milieu de la salle, les carreaux avaient été arrachés à deux endroits et un disque de métal de la couleur de l'acier, de guère plus de cinquante centimètres de diamètre, avait été placé dans chaque espace vide.

«Attendez ici», lui ordonnèrent les soldats de son escorte, avant de se ranger au fond de la pièce, immobiles comme un trio de statues. Sébastien attendit donc et, après un interminable quart d'heure, un *hispix* entra par la porte située à l'autre bout de la pièce. Il tenait un sac à coulisse à la main, ce qui ne manqua pas de surprendre Sébastien, qui n'avait encore jamais vu un *hispix* portant quoi que ce soit d'autre qu'une arme.

— Je suis Vakhenar-Elekh, déclara l'Ennemi. C'est moi qui effectuerai l'examen physique. Retirez vos vêtements et placez-vous ici, un pied sur chaque disque.

Sébastien avait oublié que cet examen était depuis longtemps au programme; il obtempéra, frissonnant. Il plaça ses pieds aux endroits indiqués, ce qui le forçait à écarter inconfortablement les jambes. Vakhenar-Elekh posa son sac après en avoir sorti deux ou trois objets — Sébastien vit des mailles étinceler dans la lumière: le sac était tissé de fils de métal. L'*hispix* s'approcha, brandissant un instrument composé de deux bras articulés, terminés chacun par une longue pointe. Sébastien eut un mouvement de recul involontaire; Vakhenar-Elekh émit une note d'orgue qui se termina par un glissando vers les aigus. Les gardes derrière lui s'avancèrent avec un cliquetis de métal sinistre. Sébastien reprit position sur les disques.

Calme-toi, se dit-il. *C'est un compas. Ça ne peut pas être autre chose qu'un simple compas!*

Et effectivement, l'Ennemi se mit à le mesurer, usant du compas et d'une petite règle pliante. La circonférence du crâne, la longueur des oreilles, la largeur de la mâchoire inférieure. Pendant qu'il prenait ces mesures, Vakhenar-Elekh, curieusement, chantonnait: une série de notes dignes d'une clarinette, sur un mode mineur.

L'*hispix* rangea règle et compas, sortit de son sac un appareil qui rappelait un sextant. Il tourna son attention vers les bras, fit jouer les articulations de Sébastien, les poussant à leurs limites, sans rudesse, notant les angles à l'aide du pseudo-sextant. Le jeune Margrave grogna quand Vakhenar-Elekh força l'articulation de son pouce jusqu'à endolorir le tendon.

— Vous me faites mal, dit-il.

— L'examen est douloureux, répliqua l'Ennemi, mais jamais fatal.

Sébastien serra les dents et fit le vœu d'endurer le reste en silence, même s'il sentait une sueur froide perler à son front. Vakhenar-Elekh continua ses investigations pendant de longues minutes et termina par les orteils de Sébastien, vérifiant leur mobilité. Sébastien poussa un soupir de soulagement: il était légèrement endolori de partout, mais cela n'avait rien de tragique... Et alors un autre Ennemi entra, poussant un petit chariot où s'alignaient une douzaine d'appareils à l'aspect sinistre.

— Eh! Oh! protesta Sébastien. Qu'est-ce que c'est que ça?

— Ne vous débattez pas, dit Vakhenar-Elekh qui avait empoigné l'un des appareils: un long câble segmenté renflé à l'extrémité, comme un serpent de métal. Si vous restez immobile et détendu, le reste de l'examen se passera d'autant plus vite. Vous ne serez pas blessé — tant que vous resterez tranquille.

Sébastien, tremblant, se força à demeurer sur place tandis que Vakhenar-Elekh s'approchait. Il ferma les yeux et déglutit, tenta de penser à autre chose...

* * *

Quand tout fut fini, Sébastien se rhabilla avec des gestes incertains. Vakhenar-Elekh était parti sans un mot, comme un cauchemar qui s'enfuit sans demander son reste au moment où l'on ouvre les yeux.

Sébastien se tourna vers les trois soldats, toujours en ligne le long du mur. Savoir qu'ils avaient vu tous les détails de l'examen ne lui importait guère. Les investigations de Vakhenar-Elekh avaient été remarquablement inconfortables, mais pas vraiment humiliantes; s'offusque-t-on d'être nu devant une statue de pierre? Et heureusement, l'examen n'était pas allé aussi loin qu'il ne l'avait d'abord craint.

— Vous me ramenez auprès des Lunaires, maintenant? demanda Sébastien d'une voix qui, il fut satisfait de le constater, ne tremblait pas.

— Non. Tellon-Kheveren, daigna répliquer l'un d'eux.

Et il fut ramené une nouvelle fois jusqu'à la porte de métal et de verre qui donnait sur la pièce où il avait rencontré l'Ennemie qui commandait à Farglon.

Comme auparavant, Tellon-Kheveren l'attendait debout au centre de la pièce. Un seul autre Ennemi se trouvait dans la pièce, un peu en retrait, rigide et silencieux. Les meubles étaient encore rangés contre les murs. Une pensée traversa l'esprit de Sébastien: *Ashakh avait raison. Malgré tous ses efforts, elle ne peut pas penser comme un être humain. Personne ne supporterait de laisser une pièce aussi nue.*

Les *hispix* n'utilisaient pas de tables ou de chaises. Sébastien n'en avait jamais vu un seul s'asseoir. Tellon-Kheveren aurait dû laisser cette pièce comme elle l'était à l'origine. Ses semblables détruisaient systématiquement l'ameublement des pièces de Farglon qu'ils occupaient; Tellon-Kheveren avait préservé ses meubles, mais n'avait pu se résoudre à s'en servir. Était-elle, comme le pensait le Suzoruin, sur le point de s'effondrer sous le poids de ses propres contradictions?

— Paix et chaleur, Sébastien. Les examens physiques sont maintenant terminés, dit l'Héritière, mais j'aurais aimé continuer notre conversation précédente.

— Paix et chaleur, Tellon-Kheveren. Je suis toujours heureux de vous parler. Mais puis-je m'asseoir?

L'aide de Tellon-Kheveren apporta une chaise et Sébastien s'y assit. Comment mener à bien la mission que lui avait confiée

Ashakh? Devrait-il inviter Tellon-Kheveren à s'asseoir elle aussi? Non, c'était trop agressif: ce ne serait pas prudent. Mais il devait y avoir moyen de prendre le contrôle de la situation. Pouvait-il décontenancer l'Héritière, histoire qu'elle lui dévoile par mégarde une information importante? Mais ce n'était pas un être humain: elle ne réagirait pas comme il le souhaitait...

L'émulation humaine le regardait en silence. Sébastien essaya d'entamer la conversation.

— Vous... euh, vous essayez toujours de comprendre comment je pense?

— Dans la mesure où mes interactions avec l'espèce humaine visent ce but, mais pas au sens où tu l'entendais. Je ne cherche plus à te soutirer de l'information: je prends plaisir à ta compagnie.

Ashakh avait dit vrai, songea Sébastien: Tellon-Kheveren éprouvait bel et bien de l'affection pour lui.

— J'aimerais prendre plaisir à la vôtre, dit-il avec une parfaite hypocrisie. Mais vous ne me rendez pas la tâche facile...

— Comment donc?

— Eh bien, vous me laissez complètement dépourvu face à la situation. Je n'y comprends rien ou presque, à croire que vous vous amusez à me faire souffrir avec vos mystères.

Lors de leur première entrevue, Tellon-Kheveren lui avait déclaré que la composante *bnam* de son esprit sympathisait avec le sort de sa race. En termes humains, on aurait pu dire que l'Ennemie se sentait coupable. Peut-être pouvait-il jouer sur cette émotion.

— Je ne cherche aucunement à te causer de la souffrance, protesta Tellon-Kheveren. Que veux-tu donc comprendre?

Sébastien hésita, posa une question qu'il espérait suffisamment détournée.

— Les Lunaires m'ont dit que les Enn... Héritiers avaient attaqué il y a soixante jours – enfin, quatre ou cinq jours lunaires, mais soixante du Globe. Je sais que c'est la composante *baer* qui ordonne l'extermination des êtres humains...

— *Btaer*.

— Pardon, *btaer*. Mais qui donc a ordonné l'attaque? Êtes-vous la commandante de tous les Héritiers, ou bien est-ce que la composante vous dicte à tous ses volontés? Les humains ne fonctionnent pas du tout comme cela, alors je ne parviens pas à vous comprendre.

— Mais non: tu ne comprends rien, en effet. Les composantes de mon esprit sont à moi et à personne d'autre. Mais elles sont, sauf pour les ajouts qui me rendent unique, partagées par les autres membres de ma race. Nous avons tous une composante *btaer*. Elle est absolument nécessaire: un Héritier auquel elle ferait défaut serait incapable de coordonner ses pensées ou même d'extraire la moindre signification de ses perceptions. Notre attitude envers vous est dictée par *btaer*, comme ton attitude envers l'air qui t'entoure est dictée par ton besoin de respirer.

— Votre attitude, d'accord, mais pas vos actions, dit Sébastien. Quelqu'un doit décider.

— La septe dans son ensemble décide, même si certains individus ont un poids accru dans la prise de décisions. Mon importance à moi est très vaste, mais je ne pourrais pas contraindre le reste de ma septe à agir selon ma volonté si elle allait à l'encontre des leurs.

— Vous avez dit une septe? Je comprends le Lunaire, mais pas parfaitement. Le mot que j'entends signifie... (il cita une phrase du dictionnaire qui lui revenait en mémoire) un regroupement de clans dans une société primitive, qui ne constitue pas encore une nation.

Tellon-Kheveren fit une moue et inclina la tête.

— C'est moi qui peine à te comprendre, maintenant. Une septe est une division de la race des Héritiers, unie par un but commun. Des... divergences d'opinion majeures existent entre les septes, mais, à l'intérieur d'une septe, les volontés sont en harmonie. Ma septe est celle de l'émulation: je suis notre projet principal. En ma personne, si tu veux, les aspirations de ma septe ont trouvé leur culmination.

— Alors, c'est bien vous qui avez planifié et commandé l'attaque sur Farglon.

— Non, pas moi; la septe dans son ensemble, même si je t'accorde que mon apport était déterminant. Après tout, j'ai été bâtie dans ce but précis.

— Bâtie... Bâtie? (Sébastien secoua la tête, frappé par une idée renversante.) Vous êtes une *machine*? Vous êtes tous des machines!

Le concept avait de quoi l'étourdir. Une machine douée de conscience était une contradiction dans les termes. Comment un objet fabriqué pouvait-il penser? La pensée venait de l'âme et l'âme était un don divin: c'était ce qu'on lui avait enseigné depuis toujours. Même confronté à l'existence des *hispix*, il avait d'abord supposé qu'ils étaient une forme de vie minérale, comme les coraux des mers lointaines dont son père avait possédé une branche, identique à celle d'un arbre et pourtant faite d'un genre de porphyre ou de cornaline. Mais Tellon-Kheveren venait de dire qu'elle avait été bâtie, construite!

— Bien sûr que je suis une machine, autant que toi. Je crois que nous ne comprenons toujours pas. Pourquoi t'étonnes-tu que je sois vivante?

— Mais vous n'êtes *pas* vivante, si vous êtes une machine. Vous avez été assemblée... *vissée*... à partir de morceaux! Vous n'êtes qu'un mécanisme, alors! Un *objet*!

Tellon-Kheveren resta silencieuse un long moment, durant lequel ses lèvres de métal s'ouvrirent dans un sourire malsain tant il était large — Sébastien devina qu'elle essayait de montrer les dents. Il aurait dû se taire...

— Je ne te pardonne ton insulte que parce que tu es profondément ignorant, dit finalement l'Héritière. Tu n'as pas eu le bénéfice d'une éducation: les Globulaires sont des barbares qui n'ont pas la moindre idée de la vraie nature du monde. Mais ne t'avise pas de me traiter d'*objet* une nouvelle fois.

«Je suis une machine, et toi aussi tu es une machine. Sais-tu seulement de quoi ton corps est composé?

— De… de tissus, bredouilla Sébastien. La peau est un tissu, et les muscles, les os…

— Et de quoi ces «tissus» sont-ils faits?

— Je… je ne sais pas. Piaton l'Ancien écrit que les muscles sont un tissu contractile et sanguin, alors que les os sont un tissu rigide et phlegmatique, à part la moelle qui est sanguine. Euh…

— Vous n'avez même pas de mots adéquats pour décrire la réalité, dit Tellon-Kheveren d'un ton à la fois méprisant et découragé. Comment veux-tu comprendre l'évidence dans ces conditions?

L'Héritière eut un geste des mains typiquement lunaire, que Sébastien croyait exprimer la résignation.

— Écoute-moi bien, dit-elle, et tâche de comprendre. Le monde se divise en deux substances fondamentales: matière et lumière. La lumière est sans masse, infiniment divisible et son trajet est toujours rectiligne; en fait, le trajet d'un rayon lumineux *définit* la ligne droite. La matière, elle, est dotée de masse, ce qui influence son mouvement, par exemple sous l'effet de la pesanteur. Mais surtout, la matière n'est pas infiniment divisible: prend un dé de pierre, brise-le en deux, puis brise une des moitiés en deux, et ainsi de suite... Viendra un moment où tu ne pourras plus briser ce qui reste. Les plus petites parcelles de matière sont appelées des *inruptibles*, parce qu'elles ne peuvent être rompues. Il existe cent vingt-huit types différents d'inruptibles. Cent vingt-huit parce qu'il existe sept forces fondamentales qui déterminent les interactions des inruptibles.

«Chaque inruptible possède sept aspects indépendants, un pour chacune des forces fondamentales. L'aspect est soit positif, soit négatif. Tu comprends le mot "négatif"? Ah, tout de même. Un inruptible est enclin à s'associer avec un inruptible d'aspect contraire, et répugne à s'associer avec un inruptible du même aspect. Chaque type d'inruptible est donc plus ou moins porté à s'associer avec chacun des cent vingt-sept autres. Ces associations sont appelées des corpuscules. Un corpuscule peut compter de deux à plusieurs milliers d'inruptibles. Les interactions entre les corpuscules sont les résultantes des interactions entre les inruptibles qui les composent. Alors qu'il n'y a que sept forces fondamentales, la classification des forces effectives qui lient entre eux les corpuscules est une tâche presque sans fin.

«Si tu assembles des groupements de corpuscules, tu en arrives à des structures appelées morphèmes. Assemble entre eux des milliers de morphèmes et tu peux produire une cellule: l'unité de base des tissus vivants. Ton corps à toi, comme le mien, est composé de myriades de myriades de myriades de ces cellules, qui interagissent entre elles d'une façon immensément plus complexe que les interactions entre corpuscules.

«Il y a davantage d'inruptibles dans un lambeau de ta peau que de grains de sable à la surface de la Lune. Pris individuellement, aucun de ces inruptibles n'est plus vivant qu'un grain de sable. Assemble deux mille inruptibles et tu as un simple corpuscule. Lui, est-il vivant? Assemble cinq mille corpuscules pour obtenir un seul morphème. Sa structure est parfaitement régulière et son comportement est rigoureusement dicté par sa composition. Et pourtant, tu n'es pas autre chose qu'un assemblage de morphèmes, Sébastien. Tu es une machine, au même titre que moi. Tu établis une distinction entre nous parce que les inruptibles qui te composent sont majoritairement d'aspect négatif selon les forces *brakhn-envhkhalesh* et *shdedrem-alkhaverh*, alors que les miens sont majoritairement positifs. Autrement dit, la matière qui me compose est plus dense que la tienne et mes morphèmes sont davantage angulaires que les tiens, qui tendent à être spiralés. Ou si tu veux, je suis faite d'un genre de métal et toi d'une variante de mycélium. Il n'y a pas fondamentalement d'autres différences entre nous.»

Sébastien était dérouté par l'avalanche de concepts et n'avait qu'imparfaitement suivi. Il se raccrocha à son idée première.

— Mais vous me dites que vous avez été *bâtie*. Moi, je suis né. Ce n'est pas la même chose.

— Ton espèce s'auto-assemble au sein de vos femelles, à partir des structures qui existent déjà dans vos corps. La mienne s'assemble à l'extérieur, dans un processus sur lequel il est plus facile d'intervenir. S'il avait toujours été possible d'ouvrir le ventre d'une femelle enceinte et d'examiner l'humain en train de croître, tu trouverais cela normal; la naissance n'est un mystère pour toi que parce que tu ne peux pas voir le développement d'un bébé. Nous, nous avons la liberté d'assembler nos nouveaux individus selon un schéma que nous contrôlons. Le processus que vous employez est épouvantablement chaotique, mais ce n'est pas pour autant une différence majeure. Si nous décidions de nous reproduire de façon aléatoire, en dérivant le plan d'un nouvel individu d'après un apport inégalement distribué de celui de deux parents, nous nous rapprocherions de très près de votre façon de faire.

— Je vois, dit Sébastien, qui ne voyait guère.

— Je te fatigue? demanda soudain Tellon-Kheveren. Tes yeux brillent davantage que la dernière fois et ton pouls s'accélère. L'examen physique a-t-il été pénible?

— Hem... Pas du tout, mentit Sébastien. Je ne suis pas vraiment fatigué, j'ai simplement eu beaucoup d'émotions ces dernières heures.

— Ne me dis pas lesquelles... La compassion et une certaine dose de rage impuissante, quand tu as visité le *spramell*, n'est-ce pas? Et la peur, quand on t'a examiné?

— C'est exactement cela, dit Sébastien après un moment de malaise.

— Je vibre en écho à ta douleur, dit Tellon-Kheveren. Tu as beaucoup donné de toi-même. Pour un mâle de ton âge, c'est exceptionnel. Sache que je t'admire beaucoup.

Sébastien répondit par un marmonnement confus. Tellon-Kheveren changeait de sujet d'une manière aussi abrupte que les mouvements physiques des Héritiers, et cela dégageait la même impression d'étrangeté fondamentale.

— Je crois qu'il vaut mieux que je te laisse repartir, disait l'Héritière. Tu peux informer tes semblables qu'ils ont mon autorisation de te renvoyer sur le Globe. Adieu donc, Sébastien. Nous ne nous reverrons pas.

Le jeune Margrave resta interdit quelques instants. Rentrer chez lui... Pendant un battement de cœur, il s'imagina retrouver les couloirs de pierre du château de la Marche Orientale, Aubert et Wolf, les prés verdoyants et les forêts touffues de la Terre, puis il se souvint de ce qu'il avait ordonné, juste après l'arrivée de Loriel. Le portail de retour était en miettes, le seuil enchanté muré par une triple épaisseur de moellons. Ce chemin-là était perdu pour lui. Il en existait un autre — du moins le supposait-il, mais il ne pouvait en être certain.

Il n'avait rien appris de Tellon-Kheveren, ou presque. Le cours de sciences naturelles qu'elle lui avait donné fuyait déjà de sa mémoire. Ne restaient que ses affirmations outrancières qui rangeaient les hommes aux côtés des simples machines.

En attendant de savoir s'il était possible, d'une manière ou d'une autre, de rentrer chez lui, ne valait-il pas mieux mentir et se donner une chance de pousser plus loin la mission qu'Ashakh lui avait confiée? Au fond, qu'avait-il à perdre?

— Je... je ne suis pas prêt à rentrer encore, dit le jeune Margrave. Pas tout de suite. J'ai des adieux à faire, et aussi... Puis-je être tout à fait franc? Je désirerais beaucoup vous reparler. Je suis très touché de tous vos efforts pour m'aider à comprendre. Vous allez... vous allez me manquer quand je serai parti.

Tellon-Kheveren inclina la tête sur le côté et ouvrit les lèvres en un sourire qui se voulait vraisemblablement ravi, mais qui mit encore une fois Sébastien mal à l'aise.

— Ma foi, dit-elle, comment résister à une telle déclaration? Je t'accorde un autre entretien, si cela peut te faire plaisir. Quand tu voudras me revoir, va demander aux gardes. Je donnerai des ordres pour qu'on vienne te conduire en ma présence. Va, maintenant. Tu es épuisé. Repose-toi bien.

Sébastien avait baissé les yeux pour mieux feindre la reconnaissance; il faillit malgré tout se trahir quand Tellon-Kheveren lui donna brièvement la main. Le contact des doigts de métal articulés contre les siens suscita en lui un frisson si violent qu'il put à peine le réprimer. Espérant que l'Héritière n'avait rien remarqué, ou du moins qu'elle avait mis son spasme sur le compte de la surprise et de la fatigue, il prit congé en marmonnant un au revoir maladroit.

* * *

Il fut ramené le long d'un chemin qu'il commençait à reconnaître et fut une nouvelle fois laissé seul dans la pièce plongée dans l'obscurité. Sachant par expérience comment rallier les quartiers des Lunaires, il retrouva le mur de gauche à tâtons et se mit à avancer prudemment vers le passage qui s'ouvrait au fond de la salle. Une voix le fit sursauter: «C'est le Pesant!» Un instant, il crut qu'il s'agissait de Melinou, mais il se rendit vite compte de sa méprise: cette soldate avait une voix éraillée et plus grave.

— Vous pouvez avancer sans crainte, il n'y a rien sur votre chemin, dit une deuxième voix, nettement plus vieille.

— Oui, je sais, dit Sébastien. Mais comment donc faites-vous pour y voir?

— Un enchantement, qu'est-ce que vous croyez?

Sébastien leva les yeux au ciel. La question était effectivement stupide, mais il ne se faisait toujours pas à l'idée que *toutes* les Lunaires étaient des magiciennes…

— Vous êtes au courant que je dois faire rapport à Ashakh? demanda-t-il, s'adressant à l'obscurité.

— Évidemment. Il a donné ordre de vous mener à lui dès votre retour.

Ce fut fait et Sébastien se retrouva bientôt en présence d'Ashakh, qui était accompagné d'une Suzeraine et, à la surprise de Sébastien, également de Loriel. Tous trois étaient assis sur ce qui paraissait des fauteuils de bois mais que Sébastien devina n'être que des sièges de fortune. Loriel tenait sur ses genoux un parchemin roulé sur deux bâtonnets de pierre.

Les illusions qui avaient meublé la salle avaient changé. Maintenant, des murs de pierres à peine façonnées délimitaient d'étroits réduits, éclairés par des torches crépitantes. Des toiles d'araignées s'effilochaient dans les coins. Quelqu'un devait se donner bien du mal pour produire tous ces effets, se dit Sébastien. Mais, après tout, si l'on n'avait rien de mieux à faire de son talent, pourquoi ne pas le gaspiller à ce genre de choses?

— Je suis heureux de vous voir de retour, dit Ashakh. Vous êtes resté longtemps absent.

— Après avoir visité le *spramell*, j'ai dû me prêter à un examen physique, expliqua Sébastien. Et ensuite, j'ai eu un entretien avec Tellon-Kheveren.

— Qu'en est-il du *spramell*? demanda la Suzeraine.

— J'ai pu constater que les mâles et les enfants de Farglon sont bien traités, Suzeraine, dans la mesure du possible en tous cas. Personne ne s'est plaint et tout le monde semblait bien portant. Les femmes enceintes… (il rencontra le regard d'Ashakh, bredouilla une demi-seconde, puis se reprit) sont également en bonne santé.

La Suzeraine lui posa quelques questions d'une voix incisive mais parut satisfaite de ses réponses. Tout ce temps, Loriel restait muette et attentive, le parchemin serré dans ses mains.

Ashakh le fit passer à ce qui était arrivé après sa visite. Sébastien n'insista pas sur les détails de l'examen physique, auquel Ashakh n'attacha presque aucune importance. Ce qui l'intéressait, c'était évidemment l'entretien entre le jeune Margrave et la commandante des Ennemis.

Sébastien relata fidèlement ce dont il se souvenait des paroles de Tellon-Kheveren, aiguillonné par les questions d'Ashakh et de la Suzeraine. Loriel s'était animée; maintenant, elle transcrivait la conversation, faisant courir un stylet au bec d'acier sur son rouleau de parchemin.

Lorsque Sébastien rapporta le point de vue des *hispix* concernant la nature des êtres vivants, les Suzerains ne parurent pas surpris. Sébastien ne put s'empêcher d'interrompre sa narration pour leur demander:

— Cela ne vous choque pas? Vous êtes d'accord avec les Ennemis? Vous considérez que nous ne sommes qu'un genre de machine?

La Suzeraine ne réagit pas à la question, comme si elle ne l'avait même pas entendue. Ashakh eut une moue de déplaisir mais daigna quand même répondre:

— Bien sûr que non. Tellon-Kheveren énonce les choses d'une manière qui correspond à la perception du monde qu'ont les *hispix*. Nous ne sommes pas des machines, mais les Ennemis non plus. Ce qu'elle vous a dit sur leur mode de reproduction confirme les hypothèses de nos théoriciennes les plus perspicaces. Il y a toujours la possibilité, très réelle, qu'elle vous abreuve de mensonges. Mais pour ma part, je suis porté à la croire sincère. De toute façon, comment expliquer autrement l'existence même de Tellon-Kheveren? Les *hispix* se reproduisent en assemblant des... des éléments préexistants. Et ils peuvent de toute évidence modifier le schéma de cet assemblage. Cela n'en fait pas des machines, simplement une forme de vie bien différente de la nôtre.

Sébastien dut se contenter de cette explication, qui à son avis ne réglait pas le problème. Il reprit son compte rendu et continua jusqu'à ce que les Suzerains aient épuisé sa mémoire. Loriel marqua d'un long trait la fin de l'entretien. La Suzeraine prit le rouleau, le parcourut rapidement et agita les doigts dans un geste d'approbation.

— Je vais m'entretenir de tout ceci avec Narellaï, dit-elle.

«Paix et chaleur, Suzeraine», souhaita Ashakh, imité par Loriel et, après un instant de gêne, par Sébastien. La Suzeraine s'en fut, ouvrant une lourde porte qui grinçait sur ses gonds.

Sébastien regarda Ashakh, éberlué.

— La dernière fois, dit-il, il ne fallait toucher à rien!

— Ce charme-ci est le fait d'Ayeshan, expliqua le Suzerain en haussant un sourcil. Moins joli, peut-être, que les efforts précédents, mais plus convaincant et plus approprié à nos circonstances présentes.

Il frappa du plat de la main contre le mur, qui rendit un son mat parfaitement naturel. Il eut un pâle sourire, puis reprit:

— Je salue votre *iren prill*, qui vous a fait quémander un dernier entretien avec Tellon-Kheveren. Cela n'était pas nécessaire, mais nous pouvons toujours en tirer quelque profit. Je vous suggère de laisser passer un peu de temps, pas plus de cinq ou six heures, avant de la revoir. À ce moment, vous pourrez discuter avec elle des conditions exactes de votre retour. L'autre portail de Translocation nous est tout aussi inaccessible que le premier, à moins d'être escortés par un détachement Ennemi.

Sébastien poussa un profond soupir et prit sa tête dans ses mains.

— Qu'est-ce qu'il y a? lui demanda Loriel, prenant pour la première fois la parole.

Sébastien les considéra tous les deux. Son incapacité à pleurer le servait bien en ce moment: il évitait de perdre la face devant les Lunaires en se mettant à brailler comme un enfant.

— Je ne peux pas revenir, dit-il. Enfin, pas comme vous pensiez me ramener.

— Expliquez-vous, demanda Ashakh, tandis que Loriel ouvrait de grands yeux.

— Après l'arrivée de Loriel, expliqua le jeune Margrave, j'ai fait sceller le portail de Translocation qu'elle avait emprunté. Je cherchais à éviter… disons, d'autres arrivées intempestives. La porte a été mise en morceaux et le bois, brûlé. J'ai fait poser trois épaisseurs de moellons autour de l'ouverture. Il y a au moins un mètre de pierre tout le tour du seuil. Les pouvoirs de la magie me surprennent toujours, mais jamais je ne croirai que je peux me translocaliser dans ces conditions!

Ashakh eut une moue dégoûtée et ferma un instant les yeux.

— Vous auriez pu le dire plus tôt… Vous êtes juste assez intelligent pour vous fourrer dans le genre de pétrin que les sots et les génies, eux, savent éviter. Si vous avez détruit le portail sur le Globe, alors celui de Farglon perd tout son pouvoir!

— J'espérais, dit Sébastien d'une voix qui tremblait, que vous sauriez peut-être inverser le sens des portails qui mènent du Globe à la Lune…

— Ne rêvez pas. L'enchantement de Translocation est à sens unique. C'était déjà assez difficile de forcer le portail à accepter Loriel, mais inverser la translocation, ce serait comme demander au soleil de se lever à l'ouest!

Sébastien réprima la panique qui montait en lui. Après tout, il s'était bien douté à l'avance de la réponse d'Ashakh. Depuis son retour sur la Lune, à chaque fois qu'il avait pensé au portail de Translocation détruit, il avait éprouvé un pincement de terreur qui s'apaisait quand il se rappelait les paroles de Loriel, lorsqu'elle avait discuté avec lui des moyens qu'avaient les Lunaires de se rendre sur le Globe. Il existait un autre moyen de transport que le portail de Translocation. Mais Sébastien avait oublié son nom, le mot lunaire n'ayant aucun équivalent en langue francque.

— Et qu'en est-il des… des vaisseaux qui servaient à l'exil des condamnés?

Ashakh haussa un sourcil.

— Les *daven-maraïl*? Il y en a encore deux ou trois en place auprès du canon de lancement, mais tout l'attirail dort depuis une vingtaine de siècles. Hmm... Ma foi, c'est une possibilité. À condition de pouvoir s'y rendre et de réveiller un vaisseau... Mais même si vous y parveniez, vous joueriez avec votre vie, surtout que vous n'avez aucun moyen de piloter: une Obéissante est à peine en mesure d'influencer le trajet d'un *daven-maraïl*. Dans votre cas, vous seriez aussi passif qu'un bagage. Franchement, je ne vous donne pas mieux qu'une chance sur deux de survivre au voyage.

Loriel, très pâle, avait fermé les yeux. Elle prit une longue inspiration et déclara, d'un ton résolu:

— Il ne sera pas seul. Je piloterai le *daven-maraïl*.

Ashakh la dévisagea avec stupéfaction.

— Quoi? Vous n'êtes pas sérieuse! Vous n'allez pas courir ce risque, tout de même!

— Absolument, répliqua Loriel. Ce sera moi qui piloterai l'appareil. Parce que j'ai juré à Sébastien qu'il rentrerait chez lui. Je le ramènerai sur le Globe quoi qu'il arrive.

— Loriel, votre *iren-prill* a beau être en cause, vous savez mieux que moi que... que vous avez des obligations supérieures!

— Non, Ashakh. J'ai donné ma parole. Je me rendrai avec Sébastien jusqu'au canon de lancement et je reviendrai sur le Globe avec lui.

Elle tremblait en prononçant ces mots, comme si elle allait s'évanouir.

— Tu ne peux pas faire ça, Loriel, dit Ashakh, utilisant soudain le pronom d'ami. Je t'interdis de risquer ta vie, tu m'entends?

— C'est ma vie à moi et je risquerai tout ce que je veux. Je ne resterai pas ici, où nos enfants naîtront en esclaves des Ennemis. Votre autorité sur moi, Suzerain, a des limites. Vous les outrepassez en cet instant.

La jeune femme se leva et quitta la pièce d'un pas rapide. Ashakh la regarda partir, le visage marqué du sceau de la colère. Il s'adressa à Sébastien:

— Franchement, depuis le moment où je vous ai vu pour la première fois, vous n'avez pas cessé de semer le chaos ici.

Sébastien ne répondit pas: il ne comprenait pas la scène qui venait de se jouer, mais il était clair qu'Ashakh était en colère contre Loriel bien plus que contre lui.

— Eh bien, si vous n'avez pas d'autres dommages à causer, je vais vous laisser partir, continua le Suzerain.

Sébastien se rappela la commission particulière dont l'avait chargé Ashakh.

— J'ai parlé à Silaraïl, dit-il.

L'effet sur Ashakh fut spectaculaire. Sa colère tomba net et il demanda d'un ton posé: «Et comment va-t-elle?»

Sébastien avait eu l'intention de transmettre le message de Silaraïl, mais il se ravisa à ce moment. Non, ce n'était pas une bonne idée. Pas maintenant... Il mentit donc, avec un calme qui le surprit:

— Elle va bien. Elle fait dire qu'elle... que vous lui manquez.

Ashakh tourna les deux mains paumes vers le haut — un Terrien aurait hoché vigoureusement la tête.

— Elle me manque à moi aussi, murmura-t-il.

Sébastien s'éclipsa sans rien ajouter. Il se sentait honteux d'avoir menti au Lunaire. Au moins, se disait-il, Ashakh n'avait pas à se soucier de sa sœur en plus de toutes les préoccupations qui l'accablaient déjà. Mais une voix intérieure lui soufflait qu'il avait menti bien plus pour se protéger lui-même, pour qu'Ashakh ne le blâme pas encore plus pour les malheurs qui frappaient les siens...

* * *

Loriel l'attendait au pied de l'escalier qui menait à la rotonde des Décideuses. Elle lui jeta un regard qu'il ne pouvait pas interpréter et escalada les marches à ses côtés.

Sébastien resta silencieux tandis qu'ils revenaient à la salle. Elle se dirigea d'abord vers leur paillasse, mais elle eut un soubresaut et changea de direction à mi-chemin, s'arrêtant finalement près d'une partie de cartes qui réunissait une douzaine de joueuses. Pendant quelques minutes, elle parut s'absorber dans la contemplation du jeu et Sébastien tint encore sa langue. Puis, à la faveur de l'élimination d'une des joueuses, qui refusait d'accepter son sort et argumentait sur une levée litigieuse, Loriel s'éloigna et alla s'adosser contre le mur, juste sous une des fenêtres murées, à l'un des rares endroits libres de la rotonde.

Elle nouait et dénouait ses doigts, les yeux baissés. Sébastien se rapprocha d'elle, tentant d'oublier les dizaines de Lunaires qui les entouraient. Il aurait préféré parler à Loriel en tête à tête, mais les entretiens privés qu'ils avaient eus lors de sa première visite n'étaient plus vraiment possibles.

«Loriel?» dit-il. Elle leva les yeux sur lui. Elle s'attendait clairement à ce qu'il donne suite à ce qui s'était passé entre Ashakh et elle.

— Est-ce que je peux te poser une question très indiscrète? demanda-t-il. Je ne te demande pas de répondre si tu ne le souhaites pas, simplement de me pardonner ma curiosité.

Loriel poussa un bref soupir.

— Pose-la donc. Je te promets de ne pas m'offusquer.

— Je comprends que ton *iren-prill* puisse te contraindre à me ramener chez moi. Mais... mais je crois qu'il y a autre chose en jeu. Peux-tu me dire quoi?

Loriel baissa à nouveau les yeux, plia le majeur et l'annulaire et joignit ses mains comme pour une étrange prière.

— Je porte l'enfant d'Ashakh, dit-elle à voix basse.

Sébastien en resta muet. Il regarda le ventre de Loriel, qui était aussi plat que celui d'une vestale adolescente. La Lunaire devina sa question informulée et répondit:

— La grossesse débute à peine, mais nos docteures connaissent un charme qui ne se trompe jamais. Je suis enceinte. Et je ne veux pas, je ne supporterai pas, de mettre au monde un enfant qui sera prisonnier dès sa naissance. Jamais je n'irai rejoindre les autres au *spramell*, jamais je n'abandonnerai les miennes pour enfanter sous les yeux des ennemis de ma race. Tout compte fait, je préfère cent fois mieux m'exiler sur le Globe.

— Et... Ashakh est au courant. C'est pour cela que vous vous querelliez. Il veut que tu restes ici.

— Pour ma sécurité. Mais il n'a pas voix au chapitre.

— Euh... et pourquoi pas? Il est le père de l'enfant, quand même.

— Et alors? Un mâle n'a aucun droit sur ses enfants.

— Ah bon... Ce n'est pas comme ça chez moi.

— Oui, je le savais déjà. Sur le Globe, il y a autant de mâles que de femmes. Chaque femme se choisit un compagnon, et ils s'unissent pour la vie. Et ils font une ribambelle d'enfants, tous du même père!

— Enfin... dans le meilleur des cas, murmura Sébastien, mais Loriel ne l'écoutait pas.

— Eh bien, ce n'est pas comme ça ici. Ça ne peut pas être comme ça. Nous n'avons pas le luxe de vos coutumes, tu comprends? Une femme a le devoir... le devoir d'enfanter. Je n'ai jamais été mère. Un peu après ton départ, Ashakh a proposé d'être mon compagnon. C'était une offre difficile à refuser.

Elle se tut. Sébastien se hasarda à la relancer:

— On dirait presque que tu lui en veux: tu ne l'aimais pas du tout, ou tu t'es brouillée avec lui par après?

Loriel lui jeta un regard où se mêlaient l'amusement et la pitié.

— Ashakh a toujours été courtois et prévenant. Je n'ai aucune raison de me plaindre de lui. C'est aussi un Suzerain, celui auprès de qui j'avais investi mon *iren-prill* après avoir quitté l'entourage d'Azinou. Qu'il devienne mon compagnon était une façon de sceller mon nouvel engagement... et de garantir ma protection au cas où Azinou aurait cherché à me punir de ma défection. Ce n'était pas une question d'amour, mais de politique.

Sébastien tourna une paume vers le haut.

— Nous autres barbares du Globe, dit-il, nous connaissons aussi les unions politiques. Mon père aurait dû épouser Aude d'Aelfrice, ou Julia d'Esthorne, pour renforcer ses liens avec la Marche Septentrionale. Il a choisi une roturière qui avait croisé son chemin par hasard, parce qu'il était tombé amoureux d'elle.

— Si tu t'imagines que tu me réconfortes en me racontant ça, dit Loriel, tu te fourvoies complètement.

— Je m'excuse, soupira Sébastien. Je voulais simplement te dire que je comprends au moins un peu ta situation.

— Je ne peux pas t'en demander plus, dit Loriel d'un ton morne. Mais j'en ai assez de parler de tout ça.

Elle se releva brusquement, s'en fut d'un pas rapide vers le groupe de joueuses, qui commençait une nouvelle partie, et, après une brève discussion, se joignit au cercle. Sébastien s'approcha des joueuses, les regarda en silence. Loriel paraissait s'absorber dans ses cartes, gardait une expression neutre et jouait sans hésitations. Quand d'aventure son regard croisait celui de Sébastien, elle abattait ses cartes avec une force excessive et commettait erreur sur erreur.

Sébastien finit par revenir à la minuscule portion de la salle assignée à la famille de Loriel. Il avait espéré y retrouver Norilaï, dont la conversation un peu naïve lui aurait fait du bien. Hélas, il n'y avait personne. Il s'assit à une extrémité du matelas, comme de coutume, mais une bouffée de colère le saisit. Il était un mâle, après tout, l'un d'une poignée en ces lieux, parmi toutes les femmes de Farglon. Ne méritait-il pas tous les égards? Il s'étendit de tout son long sur le matelas, ramena la couverture sur lui. Quand les autres reviendraient, elles n'auraient qu'à le réveiller si elles l'osaient, sinon, elles s'assiéraient par terre!

Malgré sa fatigue, il erra un long moment à la frontière du sommeil, incapable de dégager son attention du bruissement qui emplissait la rotonde, comme s'il devait y déchiffrer une signification cachée… Enfin, il s'enfonça dans des contrées miséricordieusement dépourvues du moindre rêve.

4
Farglon attaquée

Quand l'arrivée de Norilaï le réveilla, sa colère était tombée. Il lui fit tout de suite de la place, malgré les protestations de la jeune femme, et se rendormit à moitié. Il rêva de festins et de cuisines et revint à la conscience bien après le passage du chariot de ravitaillement. Sa ration tiédie l'attendait dans un bol au couvercle ébréché: des tranches de champignons plutôt coriaces entre deux galettes plates et denses, comme du pain sans levain. La médiocre texture du repas était rachetée par son goût; Sébastien fit honneur à sa portion et se sentit encore mieux avec quelque chose dans l'estomac.

Loriel semblait elle aussi de meilleure humeur, ne serait-ce que parce que sa mère avait cessé de parler sans cesse de sa fille absente: au lieu de se lamenter, Armiel racontait à Norilaï des anecdotes pittoresques de sa lointaine jeunesse.

— J'ai reparlé à Ashakh durant ton sommeil, finit par dire Loriel à l'oreille de Sébastien. Il est encore furieux, mais il a capitulé: il m'a juré qu'il ne m'empêcherait pas de partir. Il suggère que tu demandes une dernière audience avec Tellon-Kheveren d'ici deux ou trois heures. Tu lui parleras franchement de la situation, tu lui diras que tu ne peux revenir que par un des vaisseaux d'exil. Tu pourras revenir faire rapport, et... et ensuite nous irons réveiller un *daven-maraïl*.

Sébastien acquiesça. Il alla boire à une triste-cruche, luttant contre l'envie de s'asperger le visage d'eau. Sur la Lune aride, ce serait se comporter en parfait barbare. Pourtant, il en aurait eu bien besoin: il se sentait encore à moitié endormi. Il n'avait pas vu le soleil depuis son arrivée sur la Lune et son sens du temps qui passait était émoussé par la lumière constante des salles souterraines de Farglon. Il se frotta le visage de ses deux mains, fit les cent pas, exécuta quelques-uns des exercices de réchauffement pour le combat que lui avait appris le capitaine Aubert, histoire de se fouetter le sang.

Quelques heures passèrent. Sébastien sentait la tension monter en lui. Loriel, consultant le mesure-temps de Norilaï, lui adressa un signe discret. Sébastien soupira et se leva. Il eut soudain envie d'adresser des adieux formels à Norilaï, à Alyurin et même à Armiel. Pourtant, ce n'était pas le moment; quand il reviendrait de son dernier entretien, peut-être? Mais il sentait que ce ne serait jamais le bon moment. Le cœur curieusement lourd, il sortit de la rotonde et se rendit à travers les couloirs et les salles jusqu'à l'issue gardée par les Ennemis.

Il était seul. Melinou, qui était à nouveau de garde, l'avait laissé passer sans protester. Les gardes devaient avoir été mises au courant par Ashakh.

Arrivé dans la salle obscure, Sébastien s'approcha de la porte et s'annonça à voix haute:

— C'est Sébastien, le mâle du Globe. Tellon-Kheveren a autorisé ma visite auprès d'elle. Je désire sortir. Je suis seul.

— Ouvre la porte et avance lentement, dit la voix d'un *hispix*.

Sébastien s'exécuta, se retrouva entouré d'Ennemis. Sans se départir de son calme, il demanda à être emmené en présence de

Tellon-Kheveren. Deux des *hispix* l'escortèrent le long du chemin habituel, devenu juste assez familier pour Sébastien pour qu'il fût certain de pouvoir maintenant le parcourir par lui-même.

Arrivé dans la salle qui donnait sur les quartiers de Tellon-Kheveren, Sébastien dut attendre: la commandante de Farglon n'était pas en ce moment disponible pour un entretien. Les deux *hispix* qui l'avaient accompagné se plantèrent de part et d'autre de lui, immobiles. Sébastien s'adossa contre le mur et patienta. Il observa le va-et-vient des Ennemis à travers la pièce, essayant de deviner leurs occupations, mais elles lui demeuraient obscures. Le bruit de leur langage était incessant, parfois presque douloureux à entendre. Sébastien, rêvassant presque, se rendit compte qu'il pensait à une fourmilière. C'était cela que lui suggérait l'activité constante des *hispix*, conjuguée à leurs mouvements brusques: une fourmilière peuplée d'insectes dressés sur deux pattes...

Il commençait à penser s'asseoir par terre pour soulager ses jambes quand Tellon-Kheveren le fit enfin venir. L'Héritière le reçut avec ce qui pouvait passer pour un sourire de plaisir. Elle était assise dans un fauteuil et avait croisé une jambe sur l'autre. Sa posture était plus proche qu'auparavant de celle d'un être humain, mais paradoxalement cela ne faisait que souligner son étrangeté. Une chaise avait été posée en face du fauteuil et Sébastien s'y assit sans se faire prier.

— Nous nous voyons une dernière fois, cher Sébastien, dit Tellon-Kheveren. Tu sais que Vakhenar-Elekh a obtenu des résultats extraordinaires de son examen? Ta présence nous a beaucoup aidés à valider les paramètres du modèle; j'ai eu mille fois raison d'exiger que l'on te ramène sur la Lune.

— Euh... vous m'en voyez ravi.

— J'ai eu beaucoup de surprises, ces derniers temps. Toi, tu m'as surprise, mais j'ai aussi découvert des choses en moi-même qui m'ont stupéfiée.

— Vraiment? Quoi donc?

Sébastien n'avait pas besoin de feindre la curiosité.

— Je ne sais pas si je peux te faire saisir exactement, dit Tellon-Kheveren. Je te l'ai dit, je représente une innovation radicale parmi les miens. Nul ne pouvait prédire ce que donnerait la combinaison de tant de composantes inédites au sein de mon esprit. De plus, il se trouve que ma forme physique influence plus qu'on ne le pensait ma façon de vivre et de penser. Parce que je te ressemble physiquement, il m'est bien plus facile qu'aux autres Héritiers de voir le monde à travers tes yeux. Et plus j'explore cette avenue, plus certaines choses me deviennent claires.

Tellon-Kheveren semblait chercher ses mots. Elle reprit après un moment:

— Je sens que j'arrive à une harmonie entre *cwar* et *btaer*, mais ce n'est pas celle que je croyais trouver. C'est un peu comme découvrir une nouvelle couleur entre le violet et le jaune, tu vois?

— Hum... Je crois... dit Sébastien, dubitatif.

— Je n'ai pas encore terminé mes réflexions, mais j'y suis presque. Il y a en moi une idée, une idée qui n'est pas encore tout à fait nette, mais qui possède déjà une puissance énorme. Je ne peux pas encore l'exprimer; on ne me comprendrait pas. Dans très peu de temps, je posséderai le concept pur et sans faille et je pourrai alors le mettre en paroles. Des paroles qu'on n'a jamais entendues auparavant. Tu comprends ce que je veux dire? Pas une simple phrase inédite, rien n'est plus facile, mais des mots que personne avant moi n'avait utilisés et dont le sens sera néanmoins immédiatement clair à tous.

— C'est tout à fait remarquable, dit Sébastien, ne se montrant qu'à demi hypocrite. J'ai du mal à m'imaginer de tels mots, mais je comprends quand même. Ces mots seront dans votre langue à vous, n'est-ce pas? Vous ne pourriez pas les traduire en lunaire?

— Non, bien entendu. Ta race, contrairement à la mienne, n'a pas de langage propre. Vos mots ne sont que des conventions; les nôtres sont inscrits au sein de nous-mêmes, dans la composante *kwoj*, celle qui est chargée du langage. Créer un nouveau terme est possible, mais par agglutination seulement: en combinant deux mots en un troisième. Ce que je pense faire transcende les limites de *kwoj*; sans l'apport de *cwar*, je n'y serais jamais arrivée...

Un bruit suraigu se fit soudain entendre, étouffé par la distance. On aurait dit le hurlement d'une bête gigantesque frappée d'un coup mortel. Tellon-Kheveren se tut abruptement, tourna la tête de gauche et de droite, se leva de son siège pour reprendre son manège de plus belle. On aurait dit un jouet mécanique déréglé ou un énorme insecte de métal. Les deux gardes eux aussi se mirent à incliner la tête, comme s'ils cherchaient à identifier le son. L'un d'eux se précipita vers la porte, l'ouvrit et poussa un piaulement interrogatif.

Par l'entrebâillement de la porte, Sébastien put voir que l'activité frénétique qui était la norme dans la salle extérieure s'était presque arrêtée. Eût-il été parmi une foule humaine que sa gorge se serait serrée, son estomac noué: de toute évidence, quelque chose d'anormal se passait. Mais les Ennemis ne révélaient pas leur anxiété comme l'auraient fait des êtres humains. Sébastien devinait leur trouble, pouvait s'inquiéter de façon abstraite, mais il ne le partageait pas viscéralement.

Le martèlement des pas d'un *hispix* lui parvint: l'Ennemi courait à une vitesse folle. Sébastien ne le voyait pas, mais il l'entendit lorsqu'il se mit à hurler son message. C'était une cacophonie de sifflements qui lui vrillaient les tympans, surmontant un grondement grave comme le bourdon d'une église. La réaction des autres Ennemis fut immédiate: ils s'égaillèrent dans toutes les directions — à part une demi-douzaine d'entre eux, qui firent irruption dans la pièce l'un derrière l'autre.

Deux ou trois des Ennemis interpellèrent Tellon-Kheveren en même temps. L'Héritière leur répondit avec un torrent de paroles. Sébastien, qui ne comprenait naturellement rien à la teneur de la conversation, ne put que remarquer combien la voix de Tellon-Kheveren était différente de celle de ses congénères.

L'échange se poursuivit pendant plusieurs minutes. Sans cesse, les Ennemis se coupaient mutuellement la parole. Sébastien avait l'impression que, loin de s'interrompre, ils parvenaient en fait à mener de front trois ou quatre conversations.

Sur une dernière exhortation de Tellon-Kheveren, les *hispix* sortirent de la salle en courant. L'Héritière se tourna vers Sébastien.

— Tu dois t'en aller immédiatement, dit-elle. Retourne parmi les autres humains.

— Que se passe-t-il?

Tellon-Kheveren eut un étrange soubresaut avant de lui répondre.

— Nous sommes attaqués. Va-t'en, maintenant. Tu connais le chemin, j'espère. Va!

Il était trop tard pour parler à Tellon-Kheveren du moyen de retourner chez lui. Sébastien n'eut d'autre choix que de sortir. Au-dehors, des dizaines d'*hispix* s'étaient rassemblés, formaient des escouades qui s'engageaient dans divers couloirs. Personne ne faisait attention au jeune homme, lequel dut à deux reprises bondir de côté pour éviter d'être renversé.

Il prit le chemin qui le ramènerait aux quartiers des Lunaires, marchant avec circonspection pour éviter d'être à nouveau bousculé. Que se passait-il au juste? Qui pouvait attaquer les Ennemis? La réponse lui vint d'un seul coup: ce ne pouvait être qu'une autre forteresse lunaire. On venait enfin secourir Farglon! Sébastien resta un instant interdit, secoué par cette révélation. Puis il hâta le pas: il n'y avait pas de temps à perdre!

Il emprunta les passages de Farglon avec l'étrange sentiment de ne pas être vraiment présent: partout, les *hispix* qu'il croisait ne lui prêtaient aucune attention. Mais l'illusion se dissipa d'un seul coup quand, au milieu d'un long couloir, un garde Ennemi armé d'une lame en croissant lui bloqua le passage et le somma d'arrêter.

— Qu'est-ce que tu fais là? Appuie-toi contre le mur et lève les mains!

Sébastien ne sentit pas la peur qui aurait dû le paralyser. Avec un flegme qui le surprit lui-même, il répliqua:

— J'obéis aux ordres de Tellon-Kheveren. Elle m'a commandé de retourner auprès des autres humains. Je m'y rends par le chemin le plus direct. Désirez-vous m'y accompagner?

L'Ennemi le regarda un moment. Il était dépourvu d'expressions faciales et de langage corporel intelligible; Sébastien ne pouvait se guider sur rien pour deviner le cours de sa pensée. Mais il croyait avoir compris que la hiérarchie des *hispix* était encore plus absolue que celle des Lunaires. En substance, leur race constituait une seule gigantesque armée. Et à l'armée, l'initiative personnelle était généralement dévalorisée, du moins pour les grades inférieurs...

— C'est entendu. Continue ton chemin

L'Ennemi baissa son arme et laissa le garçon passer, avant de s'éloigner au pas de course dans la direction d'où venait Sébastien.

Ce dernier continua son chemin, du pas le plus rapide qu'il osait se permettre: il ne voulait pas se presser au point de provoquer les autres Ennemis qu'il croiserait. Un seul coup d'une de leurs armes baroques lui serait certainement fatal. Et après tout, initiative personnelle ou pas, la fonction d'un garde était d'user de violence si le besoin s'en présentait.

Il atteignit sans autre contretemps la salle au plafond voûté où une vingtaine de *hispix* montaient la garde: une première ligne de défense contre toute tentative de sortie des Lunaires emprisonnés. Sébastien avait espéré que les gardes seraient absents ou réduits en nombre. Il n'en était rien: au contraire, des renforts avaient été dépêchés. Les gardes arpentaient la salle avec les gestes saccadés propres à leur espèce. Sébastien les sentait prêts à user de violence à la plus légère provocation.

Il s'avança avec prudence, lentement, les mains à demi levées, la tête inclinée.

— Tellon-Kheveren m'a ordonné de revenir parmi les autres humains, dit-il d'un ton calme. Puis-je passer, je vous prie?

Après un instant, un des gardes ouvrit la porte et dit: «Passe», ajoutant un mot dans sa propre langue, que Sébastien devina être une insulte.

La porte claqua derrière lui et il se retrouva dans l'obscurité. Il y était maintenant habitué et se dirigea d'emblée vers le couloir de sortie.

— Il y a quelqu'un? demanda-t-il après avoir parcouru quelques mètres à tâtons.

— Par ici, répondit une voix.

— Melinou?

— C'est moi.

Sébastien pressa encore le pas. Il dit à voix basse, craignant qu'un Ennemi ne l'entende:

— Melinou, il faut absolument que je parle à Ashakh. Il faut que tu me mènes à lui.

— Mais je n'ai pas ordre de te mener auprès des Suzeraines. Tu dois attendre d'être convoqué.

— Tu ne comprends pas! dit Sébastien, qui courait presque maintenant. C'est une urgence! La situation a changé.

Soudain, il eut rejoint Melinou, qui lui prit le bras et se mit à trotter à ses côtés, le guidant dans sa course aveugle.

— De quoi parles-tu? demanda-t-elle.

— Les Ennemis... les Ennemis sont attaqués en ce moment même. Je le tiens de la bouche de Tellon-Kheveren. C'est la panique chez eux.

Melinou poussa un juron que Sébastien ne put comprendre. Ils suivirent le couloir, émergèrent dans la lueur verte qui sourdait des murs passé le deuxième coude.

— Je vais essayer d'avoir audience, dit Melinou.

Gardant sa prise sur le bras de Sébastien, elle se fraya un chemin jusqu'au couloir glacial qui menait aux quartiers des Suzeraines. Des gardes à l'entrée du couloir voulurent leur bloquer le chemin.

— C'est une urgence, Valinaï, dit-elle à l'une des gardes.

— Sable et poussière, Obéissante Melinou. N'abuse pas de nos liens, rétorqua l'autre d'un ton irrité.

— Le garçon Pesant a un message pour Ashakh, Décideuse. Un message qui n'attend pas!

La garde Décideuse s'obstina. Sébastien se dégagea de la poigne de Melinou, se planta droit devant Valinaï et posa sa main sur le bras de la Lunaire.

— Hé! Qu'est-ce que tu fais? protesta-t-elle.

— Vous avez une chance de sauver vos enfants et vos mâles, dit Sébastien. Dans une heure, il sera trop tard. Dans une heure, ils seront peut-être tous morts. Je dois voir Ashakh.

Valinaï avait esquissé un mouvement agressif quand il l'avait touchée, mais n'avait pas complété son geste. Sébastien sentait qu'elle n'oserait jamais frapper un jeune mâle. Il n'aurait pas su dire pourquoi au juste il l'avait touchée, mais son instinct semblait s'adapter à la société des Lunaires. Il avait senti que, dans les circonstances, il était impératif pour le mâle qu'il était de toucher la Décideuse, de lui imposer un contact qui établissait une intimité entre eux, qu'elle le veuille ou pas.

— Décideuse Valinaï, dit Sébastien, je vous en prie, laissez-nous passer. Les Suzeraines doivent m'entendre.

Valinaï fit la moue, mais elle obtempéra. «Venez avec moi», dit-elle, et elle accompagna Sébastien et Melinou jusqu'au bout du couloir. Il n'y eut pas de difficultés avec le corps de garde des Suzeraines: celles-là semblèrent comprendre immédiatement la situation. Sébastien se retrouva pour une nouvelle fois dans les quartiers des Suzeraines de Farglon.

La première fois, il avait vu la salle telle qu'elle était: presque nue, meublée de quelques débris. À ses deux visites subséquentes, des illusions avaient empli la salle, la subdivisant en espaces plus petits. Cette fois-ci, une autre illusion jouait, encore plus ambitieuse: les murs et le plafond avaient disparu. Sébastien se tenait au seuil d'une grande vallée souterraine, éclairée par des phosphorescences émanant du roc même. Des bosquets de champignons hauts de dizaines de mètres parsemaient le sol de la vallée, où coulait une rivière aux flots sombres reflétant les parcelles de lumière rocheuse.

Il ne parvenait pas à voir où étaient les Suzeraines, mais, l'instant d'après, un commentaire indigné lui révéla leur position.

— Qu'est-ce que c'est que cette intrusion? Dehors!

Sébastien se tourna vers les Suzeraines, qu'il ne voyait qu'à peine, entourées qu'elles étaient par un voile d'illusion qui brouillait leur apparence.

— Ashakh! appela-t-il d'une voix ferme. Je suis porteur de nouvelles graves! Écoutez-moi! Les Ennemis sont attaqués en ce moment même!

Il y eut un silence de quelques secondes, puis Ashakh émergea du voile d'illusion. Ses yeux flamboyaient.

— Attaqués?

Sébastien lui raconta le son qu'il avait entendu, les réactions des *hispix*, la déclaration de Tellon-Kheveren. Pendant qu'il parlait, les autres Suzeraines émergèrent à leur tour de la zone cachée par le voile et l'entourèrent en silence.

— Je crois qu'une autre forteresse est venue au secours de Farglon, termina Sébastien.

Je suis revenu vous avertir le plus vite possible. Cela ne m'a pas pris plus de dix minutes.

Ashakh croisa le regard des Suzeraines. «Alors, il est temps», dit-il.

— Pas si vite, déclara la Suzeraine Ayeshan. Je ne crois pas ce mâle. Il a des intérêts qui lui sont propres. Je ne lui fais pas confiance.

— Pourquoi est-ce que je vous mentirais? protesta Sébastien.

— Silence, lui intima Ashakh. Vous n'avez pas à vous défendre, Sébastien. Votre *irenprill* exige le vote, Ayeshan?

— Je ne me soumettrai qu'à l'autorité de toutes les Suzeraines de Farglon, déclara Ayeshan d'un ton glacial.

— Azinou! tonna Ashakh. Azinou, soyez présente, maintenant!

Après un moment, Sébastien entendit des pas traînants sur sa gauche. Il vit apparaître Azinou, vêtue d'une houppelande noire qui masquait la totalité de son corps: dans la faible lumière ambiante, on aurait presque dit que son visage flottait seul au-dessus du sol.

— La totalité des Suzeraines de Farglon est maintenant présente, dit Ashakh. Je déclare que le moment de notre attaque est enfin venu. Ayeshan exige la tenue d'un vote. Suzeraines, prononcez-vous: pour ou contre une attaque immédiate?

Ashakh leva une main à hauteur d'épaule, la tourna vers le haut en un geste emphatique. Une Suzeraine l'imita, puis une autre. Ayeshan leva sa main et écarta les doigts en éventail, paume vers le bas. Deux autres Suzeraines votèrent après une certaine hésitation: toutes deux pour. Il ne resta qu'Azinou, qui dévisageait ses pairs avec une expression sardonique.

Son regard croisa celui de Sébastien; elle poussa un soupir. «Et pourquoi pas», murmura-t-elle, avant de tourner sa main paume vers le haut.

— L'avis des Suzeraines est unanime sauf pour le vôtre, Ayeshan, déclara Ashakh. Vous soumettez-vous à mon autorité?

— Je l'ai dit, répliqua Ayeshan d'un ton venimeux. Je le ferai.

— Qu'il en soit ainsi, dit Ashakh. Allons!

L'illusion qui habillait les murs de la salle se dissipa. Le temps de trois clignements d'yeux, il n'en resta plus rien. La salle était révélée dans toute sa tristesse. Là où le voile de brouillard s'était trouvé, de curieux objets étaient posés sur le sol, mais Sébastien n'eut pas le loisir de les regarder de plus près. Les Suzeraines, y compris Azinou, étaient sorties de la salle au pas de course, escortées par leurs gardes. Seul Ashakh était resté derrière.

— Je vous suis reconnaissant, lui disait le Suzerain. Nous allons tenter une sortie; la stratégie a été élaborée depuis longtemps. Si les Ennemis sont suffisamment préoccupés par cette attaque, nous devrions pouvoir pousser jusqu'au *spramell* et libérer les enfants... Et si ça ne marche pas, nous emporterons le plus possible de *hispix* avec nous dans la tombe. Toi, soldate! Comment puis-je?

— Melinou, Suzerain.

— Melinou, tu as la garde du Pesant. Protège-le quoi qu'il arrive. Sébastien, retrouvez Loriel et tentez de vous rendre jusqu'au canon de lancement. Je vous souhaite bonne chance. Et si vous le pouvez, prenez soin de Loriel. Son *iren-prill* et sa rage la poussent aux pires extravagances. Elle m'a servi au-delà des limites du raisonnable et, en me défiant maintenant, elle prend sa revanche. Mais ce n'est pas là l'*iren-prill* d'une Décideuse, c'est celui d'une Suzeraine. Elle agit au-delà des limites de sa caste et on peut mourir de ce genre d'ambition. Si vous le pouvez... protégez-la contre elle-même.

— Je prendrai soin d'elle, promit Sébastien.

— Nous nous reverrons sur les berges d'une rivière au soleil, dit Ashakh.

Le ton du Suzerain à lui seul expliquait que cette expression lunaire était un adieu définitif.

5

Dans les couloirs de Farglon

Les Lunaires avaient reçu le signal de l'attaque imminente. Dans la rotonde des Décideuses, que Sébastien avait connue emplie d'une assemblée chuchotante, abattue, il régnait maintenant une activité fébrile et bruyante. Deux des Suzeraines de Farglon coordonnaient les opérations et détachaient des groupes de Décideuses auprès de telle ou telle unité militaire. Sébastien craignit que Loriel ne soit déjà partie, mais il la vit bientôt, auprès de sa mère Armiel. Il les rejoignit, Melinou sur ses talons.

— Tu vas me laisser toute seule? demandait Armiel d'une voix tremblante. Attends un peu! Brallinaï n'est pas encore revenue. Attends-la avec moi, s'il te plaît...

Loriel leva les yeux sur Sébastien et poussa un soupir, de soulagement ou d'irritation.

— Je dois partir, Mère, dit-elle.

— Quoi, avec *lui*? chevrota Armiel. Tu ne sais pas ce que tu fais, Loriel!

Loriel l'empoigna par les épaules. Pendant un instant, Sébastien craignit qu'elle ne jette la vieille femme à terre, ou qu'elle ne la secoue jusqu'à la blesser.

— Restez ici, où vous êtes en sécurité, Mère. Je dois aller servir les Suzeraines. Quoi qu'il arrive, restez ici. On s'occupera de vous. Et B... Brallinaï saura vous retrouver, si vous ne bougez pas. D'accord?

Armiel protesta, mais Loriel s'était déjà détournée.

— Allons-y, dit-elle à Sébastien. Avant tout, il nous faut des rations et de l'eau.

— Loriel... dit le jeune Margrave. Je... Je ne veux pas te forcer à abandonner ta mère.

Armiel geignait maintenant, essayant d'attirer l'attention de sa fille. Loriel se mit en mouvement, agrippant Sébastien par la manche et le tirant à sa suite.

— Mon *iren-prill* me dicte ma conduite, dit-elle d'un ton cassant. Si je n'avais pas prêté serment de te ramener chez toi, je serais en train de me préparer à l'attaque. D'une façon ou d'une autre, je ne resterais pas ici à mentir à ma mère en lui promettant le retour de Brallinaï. Et toi, Obéissante, qui es-tu?

— Melinou, Décideuse. Ashakh m'a chargée de la protection du Pesant.

— Tu maîtrises des charmes guerriers?

— Je connais l'Élan Tangentiel, mais je ne l'applique pas très bien. J'étais surtout une hallebardière.

— Eh bien, essayons de te trouver quelque chose à ta pointure...

Sortant de la rotonde, tous trois descendirent un escalier parmi une foule bruissante. Une porte dissimulée s'ouvrait à un palier; elle donnait sur un réduit empli d'armes de fortune, que les Lunaires avaient évidemment cachées là au cas où les Ennemis auraient tenté de fouiller leurs quartiers. Un trio de soldates fournissaient les arrivantes: dagues construites à partir d'un éclat de métal ficelé à un manche de bois de champignon, morceaux de roc fixés au bout d'une hampe pour former une masse d'armes grossière... Loriel demanda une hallebarde aux soldates, qui répliquèrent par une torsion des doigts éloquente. Melinou dut se contenter d'une sorte de pilum, une pointe de métal attachée à ce qui avait été une patte de table gracieusement incurvée.

Loriel les mena ensuite aux cuisines, où elle obtint deux sacs de nourriture et — au prix d'une âpre discussion — deux outres pleines d'eau. Elle mit l'une d'elles en bandoulière sous sa veste et sa chemise, indiqua à Sébastien de l'imiter.

— Bois tout ce que tu peux, lui dit-elle en se servant à une triste-cruche. Il fera soif avant que nous soyons arrivés.

Sébastien ne comprit pas de quoi elle parlait, mais ne se fit pas prier pour boire.

Tous trois se retrouvèrent bientôt dans la grande antichambre, pleine à craquer. Des Obéissantes portant leurs armes de fortune entouraient les Décideuses de Farglon, dont plusieurs avaient commencé à réciter des invocations. La magie avait toujours été douloureuse aux oreilles de Sébastien; le bruissement des invocations, pourtant récitées à voix basse, lui déchirait les tympans. Il dut presser les mains sur ses oreilles pour le supporter.

Il ne s'était pas écoulé plus de vingt minutes depuis qu'il était revenu parmi les Lunaires. Là où des centaines de réfugiées avaient laissé les heures et les jours passer dans une quasi-apathie, une force disciplinée était maintenant prête au combat. Même en soustrayant les Lunaires qui restaient derrière, trop vieilles, trop jeunes ou trop maladroites pour se battre, les docteures et soignantes, il devait bien y avoir huit cents femmes prêtes à se lancer à l'attaque...

Les guerrières emplissaient l'antichambre et les salles adjacentes. Loriel, Sébastien et Melinou avaient dû se frayer un chemin à la force des coudes.

Le Suzerain Ashakh s'adressa aux survivantes de Farglon. Stupéfait, Sébastien le vit grimper dans les airs comme s'il escaladait une volée de marches invisibles. Il s'arrêta quand il se fut hissé à deux mètres cinquante du sol.

— Mes sœurs, dit-il d'une voix posée qui néanmoins portait extraordinairement loin, le moment est venu de libérer notre forteresse de l'invasion des *hispix*. Vos commandantes connaissent précisément notre stratégie. L'objectif principal est de rallier le *spramell*; certaines d'entre vous feront diversion, d'autres porteront l'attaque de front. Nous jouons le tout pour le tout, mais souvenez-vous des enseignements de la Suzeraine Paylyn, qui ne laissa jamais la peur entamer sa foi en l'avenir de notre race. Nous n'accepterons que la victoire!

Quatre ou cinq Décideuses avaient terminé leur incantation et s'étaient élevées dans les airs à leur tour. Au contraire d'Ashakh, elles paraissaient voler, portées par des ailes à peine visibles. Sébastien se remémora le costume dans lequel il avait vu Azinou pour la première fois, qui lui avait suggéré une énorme guêpe.

À leur tour, trois des Suzeraines de Farglon prononcèrent un charme. Sébastien, les oreilles douloureuses, vit apparaître entre les Suzeraines une forme argentée, comme un ver de métal brillant, long de plusieurs mètres. Le ver se contorsionna pendant plusieurs secondes, avant de s'élancer dans le couloir qui menait à l'extérieur.

Un frémissement parcourut les Lunaires. Bientôt, un fracas étouffé se fit entendre, puis les exclamations stridentes des Ennemis. Quelques secondes plus tard, un son comme celui d'un coup de canon retentit, accompagné d'une secousse violente qui ébranla le roc. Sébastien sentit le sol vibrer sous ses pieds.

«En avant!» hurlèrent les commandantes, et les Lunaires se précipitèrent dans le corridor.

Loriel et ses compagnons les regardèrent défiler. Melinou arborait une expression michagrine, mi-soulagée. Loriel, pour sa part, paraissait réprimer une colère terrible. Sébastien se doutait bien que l'une comme l'autre sentait l'appel du devoir et se savait incapable d'y répondre.

* * *

Sébastien avait d'abord pensé que les soldates lunaires attaqueraient toutes à la fois. Quand il observa qu'une bonne partie des troupes restait derrière, il se remémora ses leçons d'histoire militaire et l'importance accordée aux forces de réserve. Un général francq maintes fois cité aimait comparer les forces régulières à l'enclume et la réserve au marteau, qui venait détruire l'ennemi par un coup décisif.

Si, historiquement, plusieurs batailles avaient été gagnées par l'intervention des forces de réserve, Sébastien doutait qu'une seule se soit déroulée dans un environnement aussi étrange que celui de la forteresse de Farglon, ni avec des armées aussi différentes. Les Lunaires étaient davantage dans la situation d'une force assiégée tentant de briser le siège; dans les circonstances, ne devaient-elles pas jouer le tout pour le tout?

Et de fait, il ne fallut pas longtemps pour que des messagères reviennent informer de la situation les deux Suzeraines restées derrière. Le plus gros des troupes de réserve partit alors, dirigé d'une des Suzeraines.

Sébastien et Melinou étaient assis dans un coin de la salle. Loriel les rejoignit. Elle avait l'air soucieux.

— Nos sœurs ont entamé le véritable combat, annonça-t-elle. Une messagère disait que la Voie des Incandescences est un champ de bataille d'un bout à l'autre, et que plusieurs éclaireuses ont été tuées par des groupes de reconnaissance ennemis.

— Que leur mémoire reste impérissable, répliqua automatiquement Melinou.

— Sauf que ce n'est pas logique, continua Loriel. Les éclaireuses ont recontré des Ennemis beaucoup trop tôt, comme s'ils avaient été prévenus de notre attaque une heure à l'avance. Et la messagère a répété deux fois plutôt qu'une que certains de ces Ennemis étaient *anormaux*.

— Anormaux? demanda Sébastien.

— Quand tu as été emmené voir Tellon-Kheveren la toute première fois, quand j'étais avec toi, te souviens-tu d'avoir vu un Ennemi qui ne ressemblait pas aux autres?

— Oui. Oui, je l'avais remarqué. Plus gros et plus massif...

— Les *hispix* sont normalement tous identiques. Mais quand ils nous ont envahis, nous avons observé qu'une petite partie d'entre eux étaient de conformation différente. Tellon-Kheveren n'était apparemment pas leur seule tentative de changer leur forme physique.

— Depuis des siècles, ils sont restés les mêmes. Pourquoi ont-ils décidé de se changer tout à coup? demanda Melinou.

— Pour gagner la guerre contre les humains, répondit Sébastien. Ils ne parvenaient pas à triompher des forteresses et donc...

Il se tut, l'esprit glacé par une compréhension subite.

— Loriel, ce ne sont pas des Lunaires qui attaquent Farglon, dit-il d'une voix étranglée. Ce sont d'autres *hispix*. Une des septes rivales. C'est cela que Tellon-Kheveren sous-entendait quand elle me disait que des divergences d'opinion majeures existaient entre les septes! Les Ennemis se font la guerre entre eux-mêmes!

— Quoi? Qu'est-ce qui te fait dire cela?

— Les *hispix* étaient unifiés auparavant. Ils agissaient en communauté d'intention.

Mais la guerre contre les humains s'éternisait tellement qu'ils ont résolu de se diviser en plusieurs septes, chacune d'elles essayant une approche différente pour vaincre les humains. Tu te souviens, Ashakh a compris cela, quand il m'interrogeait. Tout ce que disait Tellon-Kheveren va dans ce sens. Mais je n'avais jamais réfléchi aux conséquences avant maintenant.

Sébastien dessinait des figures dans l'air avec ses doigts, comme pour clarifier son raisonnement.

— La septe de Tellon-Kheveren a choisi de produire une émulation humaine, une Ennemie capable de comprendre les humains parce qu'elle raisonne comme eux. Mais les autres septes, par définition, n'ont jamais été d'accord avec cette approche. Et je parie qu'il s'est produit la même chose que sur le Globe, avec les hérétiques calanistes. Il y a trois siècles, l'Archiprêtre de Calan a fondé sa propre Église et la plupart de ses compatriotes l'ont suivi. Il a fallu cinq ans pour que les calanistes soient déclarés hérétiques. Les forces de l'Empire les ont attaqués, pourchassés et massacrés jusqu'au dernier. Et tout ce gâchis tournait autour d'une divergence d'opinion concernant la définition de la grâce nécessaire. Qu'est-ce qu'un Ennemi doit penser d'une congénère *capable de sympathiser avec les humains*?

«Tu m'as convaincue», dit Loriel, qui se précipita auprès de la Suzeraine Ayeshan, laquelle coordonnait les actions des forces lunaires encore présentes. Il lui fallut quelques minutes avant de pouvoir parler à la Suzeraine, qui entendit son message et la renvoya avec quelques mots brefs.

La jeune Décideuse revint auprès de Sébastien et de Melinou. Elle regarda Sébastien un long moment, clignant rapidement des yeux.

— La Suzeraine Ayeshan te complimente: tu es plus astucieux que la moyenne de ton sexe. Les Suzeraines avaient déjà déduit la même chose que toi. La possibilité «a été prise en compte» et je n'ai pas à m'inquiéter.

Loriel s'adossa au mur et ferma les yeux.

— C'est un coup de dés, rien d'autre, dit-elle. Rien ne dit que les Ennemis ne décideront pas de faire front commun contre nous, quitte à régler leur guerre après. Ou même s'ils persistent à s'entretuer, le camp vainqueur ne sera pas d'humeur à nous laisser reprendre le contrôle de Farglon. Je pense que nous allons échouer.

— Tu ne peux pas en être sûre, protesta Sébastien.

— Bien sûr que non. On ne peut jamais être sûr de rien. Et alors? Le simoun ne soufflera peut-être pas demain, mais c'est aujourd'hui que j'ai soif. Et ton cas vient compliquer les choses.

— Pourquoi?

— Parce que je ne sais plus si je peux me permettre d'attendre. Tant que la bataille fait rage, nous avons une chance de rejoindre notre destination, en évitant les combats: les Ennemis ne peuvent pas sceller tous les passages de la forteresse. Si nous attendons que la bataille se termine, soit les nôtres auront gagné, soit ils auront perdu et nous serons tués peu après. Dans un cas comme dans l'autre, c'est une question de chance. Je ne peux pas décider. Sébastien, j'ai prêté serment de te ramener chez toi si j'en étais capable, mais c'est à toi de décider de la marche à suivre. Ou bien nous essayons de passer maintenant, ou bien nous attendons la fin des combats. Que choisis-tu?

Sébastien hésita trente secondes, le temps de conclure que les deux choix lui paraissaient également mauvais. Ce qui était libérateur, car, si une voie comme l'autre était mauvaise, qu'importait celle que l'on choisissait? Autant prendre celle que l'on voulait, et le diable emporte le reste.

— Allons-y maintenant, dit-il. Je ne veux pas attendre que mon destin vienne me retrouver: je veux aller à sa rencontre.

— Comme tu voudras, dit Loriel. Alors venez avec moi.

Entraînant Sébastien et Melinou à sa suite, elle prit le chemin de l'extérieur.

Des lumières presque aveuglantes éclairaient maintenant le corridor et la salle autrefois obscurs. La porte extérieure avait été réduite en miettes. Le plancher, le plafond et les murs de la salle où avaient patrouillé les Ennemis étaient noircis et luisants par endroits. Des gardes *hispix*, il ne restait plus rien sinon des amas de métal tordus et fumants. L'air empestait, chargé d'une odeur presque insupportable, à la fois métallique et sucrée. Trois soldates lunaires montaient la garde et firent signe que tout était calme pour l'instant.

— Ce couloir est sécuritaire? demanda Loriel en désignant une des sorties de la salle, qui n'était pas celle que Sébastien avait déjà empruntée auparavant.

— Pour au moins cinquante mètres, Décideuse. Il y a deux gardes en poste au bout. Au moins cent soldates sont passées par là, mais leurs arrières ne sont pas plus assurés que ça.

— Pas de magie?

— À priori une ou deux mines, peut-être un Siffle-Guetteur, pas plus.

— Compris.

Loriel mena Sébastien et Melinou le long d'un couloir étroit et haut de plafond. Quelques débris — une lanière de cuir brisée, un lambeau de tissu, une hampe de dague cassée — témoignaient du passage d'un détachement de Lunaires.

— Il nous faut obligatoirement croiser la Voie Cristalline et emprunter le Latéral Vermeil jusqu'au troisième rond-point, expliqua Loriel. C'est le passage le plus dangereux, puisqu'il est le plus près du centre de Farglon. Après le rond-point, il y a au moins deux chemins possibles pour descendre jusqu'à l'étage des Transparences. Trois, si celui auquel je pense n'a pas été bloqué. C'est une section presque complètement désaffectée et impossible à défendre efficacement; je doute que les Ennemis s'y soient intéressés.

— Mais... où allons-nous comme ça, Décideuse? demanda Melinou.

— Au canon de lancement. Je vais réveiller un *daven-maraïl* et ramener Sébastien sur le Globe.

La soldate en resta bouche bée.

— Quoi, comme dans les contes pour petites filles? finit-elle par dire.

— Oui, comme dans les histoires, répliqua Loriel. Mais pas dans des circonstances aussi romantiques, hélas.

Ils arrivèrent au bout du couloir. Deux gardes lunaires se tenaient près de l'entrebâillement d'une porte.

— Quelque chose à signaler, soldate?

— Non, Décideuse. Pas un bruit depuis un bon moment. Le roc est trop épais: on doit se battre dans la Voûte, mais il n'y a rien qui s'entende. Vous allez les rejoindre? Passez par le couloir du centre, celui de gauche n'est pas sûr.

Loriel répondit par un grognement et ouvrit la porte. Tous trois pénétrèrent dans un rond-point où s'ouvraient pas moins de cinq passages. Un trio d'Ennemis gisait sur le sol, éventrés.

Fasciné, Sébastien contempla un long instant leurs entrailles épandues sur le sol.

Translucides, de formes complexes pour ne pas dire tourmentées, elles étaient reliées entre elles par un réseau de boyaux ressemblant aux mailles d'un filet de pêche. Il se serait attendu à voir de minuscules rouages, des bielles, une chaudière à vapeur comme celles des locomotives qui faisaient l'orgueil de l'Empire... Un liquide visqueux et pâle suintait des organes déchiquetés.

— Veux-tu bien bouger! gronda Loriel. Ce n'est pas le moment de prendre ses aises.

Ils empruntèrent le couloir central tel qu'il était recommandé. Arrivés à une intersection, Loriel indiqua un passage étroit et mal éclairé s'ouvrant sur leur gauche.

— Par là, murmura-t-elle.

— Ce n'est pas risqué? demanda Sébastien à Loriel dans un souffle.

— J'ai vu le symbole à côté de l'ouverture: une Décideuse a envoyé un Siffle-Guetteur en avant. S'il y avait eu quelqu'un dans le couloir, l'enchantement se serait déclenché.

Tous trois, Melinou en tête, empruntèrent le couloir, qui s'incurva bientôt. La seule illumination provenait de fines lignes luminescentes tracées aléatoirement sur les murs et le plafond — elles rappelaient à Sébastien des fils d'araignée. Il se sentait mal à l'aise et finit par poser une question, pour se détourner de ses angoisses.

— Pourquoi les Décideuses n'ont-elles pas envoyé un guetteur dans chaque couloir?

— Un: elles l'ont fait pour plusieurs, tu ne l'as pas remarqué. Deux: si elles utilisent tout leur pouvoir à lancer des éclaireurs, elles n'auront plus de réserves pour se battre. Sans armure et sans armes valables, il n'y a que la magie pour détruire les *hispix*... Sécheresse, où est la porte? Il devrait y avoir une porte sur la gauche!

Loriel s'arrêta, indécise.

— Il est censé y avoir une ouverture qui donne sur le second niveau de cet étage. Nous aurions dû déjà la trouver. Melinou, tu connais ce chemin?

— Non, Décideuse. Je sais que le couloir que nous avons quitté s'embranche sur la droite. Le corridor secondaire mène à la Voûte des Pétrifiées.

— Oui, au niveau du sol. Ce passage-ci est un raccourci pour accéder au second niveau... Mais je ne suis plus sûre de moi. J'avais mémorisé le plan de Farglon, mais j'ai dû me tromper quelque part...

Un sifflement assourdissant résonna non loin devant eux. Tous trois réagirent instantanément: ils se ruèrent vers la salle qu'ils venaient de quitter.

Ils étaient à quelques mètres de l'ouverture du couloir quand Melinou hurla. Sébastien se retourna, vit un Ennemi qui la jetait à terre d'un coup de griffes. Il était plus grand, plus gros qu'il n'aurait dû l'être. Une rangée de pointes émergeait de sa poitrine arquée comme la quille d'un navire. Son corps avait la couleur du bronze...

Loriel invoqua un charme de Marteau et envoya l'*hispix* rouler à plusieurs mètres, cul par-dessus tête. Elle invoqua le charme une deuxième, une troisième fois, dirigeant l'impact cette fois-ci de façon verticale. À la troisième fois, le thorax de l'Ennemi éclata comme une coquille de noix. Tout son corps eut un soubresaut terrible et ses viscères se répandirent de part et d'autre. Un organe vaguement tubulaire, lumineux, occupait le centre de son corps. Des fibres internes se déchirèrent et l'organe s'éleva en frémissant hors de la poitrine de l'Ennemi, comme un cœur que la force de ses battements aurait arraché à la poitrine d'un homme. D'autres attaches organiques cédèrent et le «cœur» se rompit en deux. Un rayon de lumière jaillit de l'une des moitiés, qui soubresautait de plus belle.

Sébastien contemplait le spectacle, médusé. Le rayon de lumière le frappa droit dans les yeux: un éclat vert l'aveugla. Avec un gémissement de douleur, Sébastien cacha son visage au creux de ses bras. Quand, après plusieurs secondes, il rouvrit les yeux, il constata qu'une rangée de traits parallèles maculait sa vision, comme s'il avait regardé directement le soleil à travers une grille.

Détournant le regard du cadavre de l'Ennemi, Sébastien s'approcha de Melinou, s'agenouilla auprès d'elle. Son dos avait été ouvert des épaules jusqu'au bassin, ses côtes brisées comme des brindilles. Sa tête était penchée de côté. Son visage portait la marque d'une indicible stupéfaction.

— C'était un éclaireur, disait Loriel. Il était seul... Un de ceux de la septe rivale.

— Elle est morte, dit Sébastien. Mon Dieu, elle est morte.

Ses mains étaient poisseuses du sang de Melinou, mais il ne se rappelait pas l'avoir touchée.

— Viens, dit Loriel. Viens vite, il faut partir. D'autres peuvent venir.

— On ne va pas la laisser ici...

Loriel lui prit l'épaule.

— Sébastien. C'est cela, la guerre. C'est voir ses amies mourir et être obligée de les abandonner là. Je n'ai pas le temps de te laisser pleurer comme les mâles aiment tant le faire. Essaie d'être un guerrier, ou au moins fais semblant. Viens!

Sébastien la laissa le remettre sur ses jambes. La rangée de stries rouges marquait toujours sa vision. Il avait peine à croire à la réalité de ce qu'il vivait.

— Où… où va-t-on?

— Il faut essayer un autre passage. Dépêche-toi.

Loriel le ramena au couloir principal et poursuivit leur avance. Au prochain embranchement, elle prit une nouvelle fois à gauche — et cette fois-ci, elle trouva l'ouverture qu'elle avait cherchée. Un escalier les mena à un niveau supérieur, complètement obscur. Loriel invoqua le charme de lumière qu'elle connaissait et produisit un globe faiblement lumineux, qu'elle devait tenir entre deux doigts et pousser vers l'avant à la force du poignet.

— Avec ça, dit-elle, nous sommes repérables à cent mètres. Dès qu'il y a à nouveau de la lumière, je l'abandonne.

Elle avançait d'un pas nerveux, hésitant entre la course et la marche prudente. De temps à autre, elle s'arrêtait brusquement, imposait le silence d'un geste et réduisait la luminosité de son globe à presque rien. Après une demi-minute d'attente, elle ramenait la lumière et se remettait en marche.

L'esprit de Sébastien se remettait du choc de la mort de Melinou aussi lentement que sa vision se rétablissait. Il tâchait de se concentrer sur leur situation présente, tendait l'oreille pour détecter la présence d'un *hispix*... Et s'il en trouvait un, que ferait-il? Se lancerait-il à l'attaque pour venger Melinou? Melinou qui était morte pour rien, parce que Loriel s'était trompée de corridor, et tout cela à cause de lui, Sébastien, parce qu'il devait rentrer chez lui.

Ils arrivaient à une porte. Loriel colla une oreille contre le battant, écoutant attentivement. Sébastien l'imita: une vague rumeur lui parvint. Cela aurait pu être le grondement de l'air dans un corridor, ou autre chose.

Loriel déplaça son globe de lumière contre le mur et réduisit son éclat jusqu'à ce qu'il soit à peine discernable. Puis elle manœuvra la clenche en douceur et tira doucement le battant à elle.

De l'autre côté, il y avait de la lumière: une radiance jaune doré, inégale, comme frémissante. Le bruit que Sébastien avait cru discerner était un peu plus net, mais toujours impossible à identifier.

— Ça va, dit Loriel, le chemin est libre. Écoute bien: nous sommes au second niveau de l'étage, sur un très long balcon. En contrebas, c'est la Voie Cristalline. La Voûte des Pétrifiées est loin derrière nous; avec un peu de chance, l'attention des Ennemis est concentrée sur le combat qui s'y déroule et ils ne nous remarqueront pas. La Voie est éclairée par les cristaux du plafond, et les balcons sont assez larges pour nous dissimuler partiellement à la vue de quelqu'un au niveau inférieur. Nous allons marcher d'un pas rapide et surtout égal: les Ennemis sont très sensibles aux variations de mouvement, mais ils remarquent moins bien un mouvement uniforme.

«Une centaine de mètres plus loin, la Voie descend et sinue. Dès qu'elle redevient plane et droite, elle croise le Latéral Vermeil. Il faut descendre au niveau du sol à ce moment-là. Il y a d'autres balcons le long du Latéral, mais ils ne forment pas un chemin continu, alors ça ne sert à rien de vouloir remonter d'un niveau.

«Il y a des ouvertures tout le long du Latéral. Elles ne nous concernent pas avant le troisième rond-point. Au troisième, nous devons prendre une des deux ouvertures sur la droite. L'une comme l'autre débouche sur un passage qui mène à la partie la plus occidentale de Farglon. Il ne devrait s'y trouver personne. Il y a deux ou trois passages qui permettent d'accéder à l'étage des Transparences. Une fois là, tous les chemins mènent au canon de lancement.»

Tous deux se glissèrent par l'entrebâillement de la porte et se retrouvèrent sur un long balcon à flanc de mur. Un garde-fou haut d'un mètre cinquante les séparait du vide. Le plafond de la Voie Cristalline fourmillait de cristaux jaunes et bruns, rappelant à Sébastien la géode qui ornait le sommet de la bibliothèque du docteur Azemann. La lumière qu'ils jetaient sur la Voie et le balcon frémissait désagréablement.

Loriel et Sébastien se rangèrent tout contre le mur, à leur droite, et se mirent à avancer. Sébastien jetait des regards en contrebas. Le garde-fou, dont les larges pilastres se touchaient presque l'un l'autre, lui cachait la vue de la partie la plus proche de la Voie, mais elle était assez large pour que l'autre bord soit aisément visible. Le sol était constitué des mêmes cristaux, mais ceux-ci avaient été coupés, aplanis et polis, pour former des dalles lumineuses aux motifs jaunes, bruns et or.

Plus ils avançaient, plus le bruit gagnait en intensité. Sébastien reconnut bientôt le concert de crachotements et de cloches qu'était le langage des *hispix*, accompagné d'un fracas chaotique, de métal contre pierre. On se battait non loin, et lui et Loriel n'avaient d'autre choix que de se rapprocher toujours plus de la bataille.

6
La Voie Cristalline

Sébastien espéra pendant quelques interminables minutes que leur chemin leur permettrait d'une façon quelconque de contourner la bataille. Il perdit cet espoir lorsque la Voie commença sa descente. Le plancher de la Voie était en pente régulière. Par contre, le balcon descendait par à-coups, chaque section donnant accès à la suivante par une volée de trois ou quatre marches. De même, tandis que les murs serpentaient de façon continue, le balcon prenait des angles abrupts.

Ce fut à l'un de ces angles que Loriel lui fit signe d'arrêter. Elle se mit à quatre pattes et s'abrita derrière les pilastres du garde-fou. Sébastien l'imita. Dans l'éclairage irrégulier de la Voie Cristalline, ils pouvaient espérer qu'ils ne soient pas remarqués.

Ils avaient bien besoin de cette protection: regardant par un des interstices entre les pilastres, Sébastien vit que des Ennemis par dizaines emplissaient la Voie sur toute sa largeur. Le tumulte de la bataille résonnait sur les murs de la Voie. Mais celle-ci descendait selon un angle si élevé que le combat lui-même leur était encore caché.

Loriel et Sébastien avancèrent sur les mains et les genoux, descendant avec précaution les marches menant à la prochaine section. Il suffisait qu'un seul Ennemi soit de garde sur le balcon, songeait Sébastien, pour qu'ils courent à leur perte... ou enfin, qu'ils *rampent* à leur perte.

Mais ils étaient seuls sur le balcon, ce qui n'était pas si surprenant: ils n'avaient encore rencontré aucun escalier menant au niveau du sol. Tout Ennemi présent ici aurait dû venir de plus loin en avant, là où l'on se battait... Un lâche aurait pu prendre la fuite par ce chemin, sauf que les *hispix* ne connaissaient pas cette émotion.

La bataille était exactement là où Sébastien l'avait supposé: à l'intersection de la Voie et du Latéral Vermeil. Des *hispix* par centaines se battaient — entre eux. Les deux forces en présence étaient faciles à distinguer: les deux tiers des *hispix* étaient de la même couleur de bronze que celui que Loriel avait tué. Leurs adversaires étaient de la couleur gris violacé familière à Sébastien. Les Ennemis maniaient des armes fantastiques: d'énormes lames en croissant au bout de courtes hampes, des épées dentelées sur toute leur longueur, des hallebardes ornées de crochets comme des bouquets d'épines.

Leur épiderme métallique jetait des étincelles quand les armes le frappaient. Les adversaires se portaient coup sur coup, sans effet immédiat, mais, à la longue, des balafres apparaissaient sur les bras et les poitrines, d'où suintait une humeur laiteuse. Les dents d'une épée mordaient soudain une chair vulnérable sous la peau d'une cuisse, et un Ennemi se voyait jeté à terre, où son adversaire tentait de l'achever en le décapitant.

Les *hispix* couleur de bronze dominaient la bataille, en nombre et en force individuelle: la plupart d'entre eux avaient la conformation de l'éclaireur que Sébastien et Loriel avaient rencontré. Ces Ennemis plus massifs semblaient avoir été conçus pour le combat au corps à corps. Ils n'étaient pas aussi rapides que les autres, mais ils résistaient mieux aux lames adverses et les coups qu'ils portaient de leurs épées dentelées étaient souvent dévastateurs.

Pendant un long moment, Sébastien et Loriel contemplèrent la bataille.

— Ça ne marchera pas, finit par dire la Lunaire à l'oreille de Sébastien. Le premier escalier descend en plein dans la tourmente. Tu vois le deuxième, sur la gauche? Celui-là pourrait aller. Si nous parvenions à le descendre sans être vus, je suppose que nous aurions une chance de nous en sortir une fois au niveau inférieur. Mais c'est peu probable...

— Alors quoi? Il y a un autre chemin?

— Non. C'est ce chemin-là ou rien.

Sébastien hésita.

— Essayons de rejoindre le premier escalier, murmura-t-il. Nous aurons un meilleur aperçu de la situation de là. Si c'est vraiment trop risqué, nous reviendrons.

Loriel fit le oui lunaire en ouvrant sa paume, mais elle gardait le petit doigt plié. Sébastien devina le sens du geste.

Ils avancèrent en rampant, se rapprochant de plus en plus du cœur de la bataille, jusqu'au coin de l'escalier. Celui-ci descendait en zigzags, parallèlement au balcon. Les *hispix* se battaient en contrebas; l'un d'entre eux avait même retraité dans l'escalier, montant quelques marches. Le tintamarre était assourdissant. Nul ne prêtait attention aux deux humains qui se cachaient derrière la rambarde. Sébastien éprouvait une curieuse sensation d'invulnérabilité, mais son bon sens lui criait qu'il jouait avec sa vie. Il se tourna vers Loriel, secouant la tête et agitant la main. Non, c'était folie de vouloir continuer.

Soudain, un bruit de tonnerre domina le fracas de la bataille: un pan de mur du côté opposé de la Voie venait de s'écrouler. Des Ennemis gris-violet firent irruption par la brèche, venant porter renfort aux leurs.

Bien sûr, songea Sébastien, *ils ont creusé un tunnel à travers le roc.* Loriel lui avait dit que les griffes des Ennemis pouvaient fouir la pierre avec une aisance ahurissante, que seul le métal leur faisait obstacle... Loriel le tirait par la main.

Il s'apprêtait à la suivre quand il eut la surprise de reconnaître Tellon-Kheveren parmi les renforts. Les Ennemis de la septe rivale l'avaient reconnue eux aussi: la bataille redoubla d'intensité. Un groupe d'Ennemis massifs se rua à l'attaque, une dizaine d'entre eux se sacrifiant pour percer la ligne de défense adverse. Un des guerriers de bronze parvint jusqu'à Tellon-Kheveren et l'empoigna à bras-le-corps, pour l'empaler sur les cornes de sa poitrine.

Et alors Tellon-Kheveren poussa un cri extraordinaire, comme cinq cents violons tenant un accord mineur. Partout autour d'elle, les Ennemis suspendirent leurs gestes. Les lames dressées ne retombèrent pas. Les coups de griffes fatals furent retenus. Tous les guerriers, d'un camp comme de l'autre, tournèrent la tête vers l'émulation humaine, l'Héritière qui avait appris à incorporer le chaos humain à sa propre pensée.

Tellon-Kheveren, toujours tenue par son adversaire, reprit son cri de plus belle. Il était naturellement impossible pour Sébastien de saisir ce qu'elle disait, mais il fut frappé par la différence avec le langage des *hispix* tel qu'il l'avait entendu jusque-là. Il y avait bien des articulations stridentes et chuintantes dans les sons que produisait Tellon-Kheveren, mais c'étaient surtout des notes complexes qui dominaient. On aurait presque dit de la musique, une musique syncopée et allusive, atonale et pourtant porteuse de sens.

Les Ennemis demeuraient paralysés, leur attention fixée sur Tellon-Kheveren et son chant. La même pensée traversa l'esprit des deux humains. «Maintenant ou jamais!» chuchota Loriel. Elle se releva et se mit à courir vers le second escalier. Sébastien l'imita, le cœur battant la chamade.

Le chant de Tellon-Kheveren s'enflait. Il semblait à Sébastien retrouver un motif qui se répétait en mille variations... Mais un thème contraire s'éleva alors. L'Ennemi qui tentait d'écraser Tellon-Kheveren contre sa poitrine s'était mis à donner de la voix à son tour. Son cri à lui tenait bien davantage du langage normal des *hispix*; il le poussait de toutes ses forces. Cherchait-il à enterrer la voix de son adversaire?

Sébastien et Loriel avaient atteint le second escalier. Sébastien s'y précipita le premier. La gravité lunaire plus faible ralentissait la descente: courant trop vite, Sébastien se retrouva à planer par-dessus deux ou trois marches à la fois. Il se rattrapa de justesse à la rambarde du premier palier, tenta de se hisser vers le bas à la force des poignets pour accélérer sa fuite.

Le duel vocal entre Tellon-Kheveren et son adversaire se poursuivait: mais maintenant, d'autres Ennemis faisaient écho au chant de l'émulation humaine. Le guerrier de bronze hurlait en vain; quelques-uns de ses semblables, peut-être, avaient repris son chant à lui, mais ils étaient en minorité.

Sébastien atteignit le bas de l'escalier. Le plus proche Ennemi se trouvait à cinq mètres à peine. Il entendit Sébastien, tourna la tête vers lui d'un mouvement spasmodique... et reporta son attention sur Tellon-Kheveren. Le guerrier de bronze avait retrouvé le contrôle de ses mouvements: d'une flexion de ses bras massifs, il enfonça ses cornes pectorales dans le corps de Tellon-Kheveren. Celle-ci s'arqua, rejeta les épaules en arrière et plia le cou, tourna son visage à la verticale, ses cheveux argentés tombant derrière ses épaules. On aurait dit une plongeuse figée dans les airs entre deux instants. Et malgré sa terrible blessure, son chant ne s'interrompit point.

Loriel rejoignit Sébastien et tous deux s'élancèrent le long du Latéral Vermeil, courant de toutes leurs forces vers le troisième rond-point.

Tellon-Kheveren continua à chanter — jusqu'à ce que son adversaire lui rompe le cou et la décapite. Alors seulement elle se tut. Avec un hurlement de triomphe, l'Héritier couleur de bronze se retourna vers les siens, le cadavre de Tellon-Kheveren toujours empalé sur ses cornes, la tête au visage quasi humain brandie haut dans sa main à trois doigts. Mais les *hispix* des deux septes avaient repris en chœur le chant de Tellon-Kheveren. Retrouvant le contrôle de leurs mouvements, ils dressèrent leurs lames et se tournèrent tous, sans exception, contre lui.

* * *

Loriel et Sébastien coururent jusqu'au troisième rond-point. Empruntant une des ouvertures dans le mur de droite, ils se retrouvèrent dans un couloir incurvé, dont les murs étaient ornés de fresques aux couleurs brillantes. Des chandeliers de fer noir étaient suspendus au plafond; leurs coupelles ne supportaient pas des bougies, mais plutôt des cylindres de verre brillant d'un éclat jaune rappelant celui d'une flamme.

Loriel avait arrêté sa course, s'appuyait au mur pour reprendre sa respiration. Sébastien s'arrêta lui aussi. Son cœur cognait dans sa poitrine et ses poumons le brûlaient. L'air froid et ténu de la Lune ne suffisait pas à nourrir ses muscles quand il devait pousser ses forces au maximum.

— Qu'est-ce que c'était que ça? demanda la Lunaire en haletant. C'était Tellon-

Kheveren qui chantait, n'est-ce pas? Je ne l'avais jamais vue…

— Oui, c'était elle. Ou alors une Héritière — une Ennemie — absolument identique. Mais je ne crois pas qu'elle ait eu des sœurs.

— Qu'est-ce qu'elle disait? Qu'est-ce qu'elle a bien pu leur dire pour les subjuguer comme cela?

— Elle m'en a parlé, juste avant l'attaque. Elle me disait qu'elle était sur le point de tenir une idée nouvelle, immensément puissante, quelque chose qui exigeait d'inventer des mots qui n'avaient jamais existé auparavant, mais dont le sens serait immédiatement clair. Son chant ne ressemblait pas au langage habituel des Ennemis, mais ils l'ont presque tous compris. Je crois qu'elle a réussi, juste à temps. Elle a conçu une idée tellement puissante que… que le simple fait de l'énoncer convainc automatiquement celui qui l'entend.

— Et cette idée, ce serait quoi?

— Le but ultime de Tellon-Kheveren, c'était de trouver une harmonie entre ses composantes. Celle qui exige la destruction des humains et celle qui lui permet de comprendre comment nous pensons. Si elle y est arrivée… Eh bien, je ne sais pas, en fait. Ashakh croyait qu'elle allait un jour perdre l'esprit. Si elle était encore lucide, elle a peut-être pu convaincre les siens de… de respecter les humains. Peut-être que la bataille va cesser.

— Tu rêves! dit Loriel d'un ton amer. Les *hispix* ne souhaitent que notre disparition. Même cette aberration de Tellon-Kheveren ne pourrait jamais les convaincre de nous laisser vivre en paix.

— Pourquoi pas? insista Sébastien. Des idées nouvelles peuvent changer le monde. Une oratrice géniale peut convaincre bien des gens. Si Paylyn, tiens, avait prêché la paix avec les Ennemis plutôt que la guerre…

— Ne dis pas d'obscénités! le coupa Loriel, outrée. Paylyn n'aurait jamais dit de telles choses! Ne profane pas sa mémoire et surtout pas en présence de peintures qui la représentent.

Loriel désignait les fresques sur les murs d'un geste furibond.

— Je te demande pardon, dit Sébastien d'un ton conciliant. Je ne voulais pas manquer de respect à qui que ce soit; je me suis mal exprimé.

Il valait mieux changer de sujet. Il demanda donc:

— C'est Paylyn, là, au milieu de toutes ces guerrières?

— Oui, c'est elle, répondit la jeune Lunaire d'un ton radouci. À sa droite, c'est Anuviel, qui a brisé la Coalition des Voleuses d'Eau trois siècles avant Paylyn. Et tout autour, ce sont des personnages historiques aussi. Quand j'étais petite, je suis venue deux fois ici avec d'autres filles de l'institut pour apprendre l'histoire de mes ancêtres… Viens, maintenant. On ne peut pas rester ici plus longtemps.

D'un pas moins précipité, ils suivirent le couloir jusqu'à son terme. Il débouchait sur une salle très vaste, basse de plafond, éclairée par le même genre de chandeliers que ceux du couloir. De larges piliers d'une pierre noire veinée de gris supportaient le plafond. Disposés en rangées décalées, ils bloquaient la vue comme le font les arbres d'une forêt.

— Le sol est couvert de poussière, remarqua Sébastien. Je crois que personne n'est passé par ici depuis longtemps.

— En effet. Cette section de Farglon est inutilisée; seul le couloir aux fresques est visité de temps à autre. Je crois que nous sommes hors de danger. N'empêche… Nous allons traverser la salle en longeant les murs: je ne veux pas me retrouver au milieu et découvrir qu'il y avait un *hispix* caché derrière chaque pilier.

La traversée de la salle s'effectua sans incidents. Longeant le mur opposé à celui par lequel ils étaient entrés, ils arrivèrent à une porte que Sébastien crut être de métal émaillé de porcelaine.

La porte avait une serrure, que Loriel ouvrit avec une clef, elle aussi de porcelaine, qu'elle sortit de sa veste.

— Ayeshan me l'a donnée, expliqua-t-elle à Sébastien. C'est la gardienne des clefs de la forteresse. Il y a d'autres moyens de rallier l'étage des Transparences, mais c'est le plus court chemin. Pourvu que le passage ne soit pas bloqué. Mais nous allons voir...

Elle ouvrit la porte, avec un grincement suraigu qui sembla résonner dans les dents de Sébastien. La porte révéla une antichambre aux murs et au plafond émaillés de bleu. Un cabochon de quartz pâle avait été serti dans le mur opposé et il luisait faiblement.

— Tout va bien, dit Loriel. Si le passage était bloqué, le cristal aurait été terne. Entre, je dois refermer la porte derrière nous.

Dès qu'elle eut fait ainsi, Loriel alla au cabochon et le couvrit de sa main. Un timbre métallique étouffé se fit entendre et le plancher s'abaissa soudain. Sébastien ne put réprimer une exclamation de surprise.

— Ne t'inquiète donc pas, dit Loriel. J'oubliais que les barbares du Globe ne doivent pas savoir ce que c'est qu'un descenseur.

— Si tu m'avais averti, je n'aurais pas été surpris, répliqua Sébastien. Et je devine ce qui se passe: le plancher est retenu par des chaînes et des poulies et, en appuyant sur le cristal, tu les fais se dévider.

— Non, mais ton idée est astucieuse. En fait, c'est un pilier qui nous soutient et qui se ramasse sur lui-même quand on lui en donne l'ordre. Ce descenseur mène directement au canon de lancement. C'est par ici que les exilées passaient, il y a bien longtemps.

Le plancher continuait à s'enfoncer; le plafond était maintenant à cinq mètres au-dessus d'eux et le puits du descenseur se remplissait d'ombre.

— Vos criminelles et vos dépravées, comme tu me l'avais dit? demanda Sébastien.

— Pas dépravées, dégénérées. Mais oui, les membres de la société lunaire que celle-ci ne pouvait plus tolérer dans ses rangs. C'est drôle quand j'y pense…

— Drôle? Qu'est-ce que ça a de drôle?

— Laisse-moi finir. C'est drôle, parce que cet exil est devenu quelque chose de romantique avec les siècles. Tous les livres d'Histoire insistent sur le fait que seules des criminelles étaient exilées, même si on peut se douter que quelques-unes des exilées l'étaient pour des motifs de luttes de pouvoir et non pas de justice. Et pourtant, quand j'étais petite, combien de fois ai-je joué à l'exil! Nous étions cinq ou six: une faisait la juge qui prononçait la sentence, les autres étaient les criminelles. Le vaisseau était une vieille caisse, nous nous y entassions et la juge secouait la caisse pour imiter le voyage jusqu'au Globe...

Le descenseur arriva en bout de course, au moins dix mètres plus bas. Sébastien et Loriel mirent pied dans une salle obscure. Loriel invoqua un globe lumineux, dont l'éclat révéla des murs couverts d'inscriptions cursives. La salle n'avait qu'une seule autre issue, une paire de vantaux de métal. Deux tristes-cruches flanquaient les portes.

— Qu'est-ce qui est écrit sur les murs? demanda Sébastien.

— «Exilées, vous entreprenez un voyage dont on ne revient pas. Ravalez vos larmes, car c'est la clémence qui vous conduit ici, à l'antichambre du Globe, plutôt qu'aux puits de torture.» Et d'autres choses du même genre.

— Charmant... Au moins il y a de l'eau. Une dernière gorgée avant le voyage?

— Ne touche surtout pas aux cruches! intervint Loriel en lui prenant le bras. La légende dit qu'une des tristes-cruches était empoisonnée: une exilée avait le choix de boire à l'une des deux et d'abréger ses souffrances si elle était chanceuse.

— Mais c'est horrible!

— Je pense que ce n'est qu'une légende, mais je ne courrai pas le risque. C'est pour cela que je nous ai fait emporter des rations d'eau. Aide-moi à ouvrir une des portes.

Sébastien joignit ses efforts à ceux de Loriel pour faire pivoter un des lourds vantaux. Les gonds ne cédèrent qu'au prix d'une lutte acharnée.

«Enfin...» dit Loriel quand ils eurent franchi le seuil d'une ultime salle. Des draperies avaient autrefois orné ses murs, mais elles s'étaient arrachées de leurs supports et s'étaient étalées par terre, en flaques de velours sombre. L'air était très froid: une brise sifflait par l'ouverture de la porte et s'engouffrait dans le mur opposé, là où se dessinaient cinq ouvertures. Deux d'entre elles laissaient voir un passage incliné vers le bas, large de trois ou quatre mètres. Devant chacune des trois autres, il y avait un objet aux lignes courbes, pointu à son sommet, de trois mètres de diamètre et de quatre de haut. Sébastien n'était pas certain de leur composition: leur substance sombre, mouchetée de taches plus pâles, était striée de rides parallèles. «Les *daven-maraïl*», annonça Loriel.

— Ça, des vaisseaux? s'étonna Sébastien. On dirait... on dirait d'énormes graines.

— À quoi t'attendais-tu?

— Je ne sais pas... à une machine de métal, je suppose.

— J'avais six ans quand j'ai lu *L'Apprentissage de Jallinaï* pour la première fois. C'est l'histoire d'une petite Obéissante qui devient Suzeraine quand elle développe des talents magiques prodigieux... Toutes les jeunes Lunaires finissent par lire ce livre-là. Il y a un chapitre où Jallinaï emprunte un *daven-maraïl* pour faire une balade autour de la Lune... C'est un conte pour enfants, une histoire invraisemblable, mais, malgré toutes ses fantaisies, l'auteure s'était bien renseignée. Elle explique en long et en large pourquoi il fallait minimiser le poids du vaisseau, pour faciliter son lancement. Un vaisseau de métal aurait été intolérablement lourd.

— Alors en quoi sont-ils faits?

— Comme tu l'as deviné. Ils sont en bois.

— De la chair de champignon séchée et vernie?

— Non, du bois antique, de plantes qui poussaient au soleil.

Loriel s'était approchée des *daven-maraïl*. Dans la lumière jetée par son globe magique, on pouvait discerner des caractères lunaires peints sur chacun des vaisseaux.

— Eh bien, allons-y, dit Loriel. Celui-là comme un autre, quelle différence...

Elle déchiffra les caractères et sa voix s'éleva soudain forte et claire.

— Berialakh, par la puissance de ton nom, je te l'ordonne: réveille-toi! Par la puissance de ton nom, Berialakh, vaisseau de Farglon, réveille-toi!

Sébastien eut un choc en entendant le vaisseau répondre. Sa voix était indéniablement masculine, marquée par un accent qui différait nettement de celui de Loriel.

— Je vous entends, Puissance, dit le vaisseau. J'ai longtemps dormi. Le moment est-il venu pour moi de partir?

Loriel, même si elle avait dû s'attendre à la réponse, paraissait elle aussi un peu secouée.

— Je... Oui, Berialakh. Il est temps de partir. Es-tu en mesure de faire le voyage?

— J'ai longtemps dormi, Puissance. J'ai longtemps dormi. Le moment est-il venu pour moi de partir? Si le moment n'est pas venu, ordonnez-moi de me rendormir.

Loriel jeta un regard à Sébastien. «Je prendrai cela comme un oui», murmura-t-elle.

— Il ne t'a pas répondu, objecta Sébastien.

— Ce n'est pas un être conscient, Sébastien, c'est un objet magique. Les enchantements qui l'animent lui confèrent une certaine intelligence, mais elle est sérieusement limitée. Il m'appelle «Puissance» comme si j'étais une juge de la cour. Ne lui demande pas de comprendre la situation.

— Mais tu ne sais pas s'il est en état de fonctionner! Qu'est-ce qui te permet d'en être sûre?

— La magie ne s'affaiblit pas avec le temps. Tu le sais bien: le portail de Translocation entre ton château et Farglon fonctionnait toujours même après des siècles.

— Et mes jouets magiques? Il y a des objets magiques au château de la Marche qui ne fonctionnent plus qu'à moitié, ou encore moins.

— L'influence du Globe doit se faire sentir là aussi. Ou alors, tes jouets sont abîmés. Si on endommage un objet enchanté, l'enchantement s'affaiblit. C'est cela qui m'inquiète: de savoir si la matière du vaisseau a résisté au temps... Mais tant qu'il peut parler, je suppose qu'il est intact.

Loriel s'adressa de nouveau au vaisseau.

— Le moment de partir est venu, Berialakh. Peux-tu te rendre par toi-même jusqu'au canon?

— Dès que mes passagères auront embarqué, Puissance, je glisserai jusqu'à l'âme du canon.

— Le canon; sais-tu s'il fonctionne?

— J'entends le canon et le canon m'entend, Puissance. Ma présence au fond de l'âme déclenchera la détonation. Je suis prêt, Puissance. Les exilées sont-elles présentes?

— Elles le sont, Berialakh. Ouvre-toi pour les accueillir.

Une fissure apparut dans l'enveloppe du *daven-maraïl*, s'élargit. Bientôt une ouverture béa, révélant l'intérieur du vaisseau, évidé en une seule grande cabine.

— Embarquez, exilées, déclara Berialakh. Embarquez pour votre voyage jusqu'au Globe. La justice immanente vous a jugées coupables mais ne réclame pas votre mort. Embarquez et ne craignez rien. Je suis Berialakh et je vous emmènerai jusqu'au Globe.

Sébastien examina la cabine à travers l'ouverture. Des cavités creusées à même l'écorce faisaient office de sièges; des rubans de tissu avaient été cloués à hauteur des épaules, de part et d'autre de chaque siège. Un pilier central joignait le plancher et le plafond, renflé à la base et à mi-hauteur. Loriel examina elle aussi l'intérieur, poussa un bref soupir et donna un nouvel ordre.

— Berialakh, éveille ton navigateur! Les passagères doivent pouvoir se diriger.

— Le navigateur est déjà éveillé, Puissance. Il faut le pouvoir d'une Décideuse pour le contrôler. Les passagères ont-elles le choix de leur destination?

— Euh... oui, mais dirige-les de préférence vers la forteresse de Naraïldon. Tu comprends ce que je te demande?

— Embarquez, exilées! Embarquez pour la forteresse de Naraïldon. Que votre meneuse prenne le contrôle du pilier de navigation, si elle le désire. Mais ne craignez rien: je vous mènerai par moi-même jusqu'à la forteresse de Naraïldon. Embarquez!

— Bon, eh bien voilà, dit Loriel. J'ai fait tout ce que j'ai pu. À présent, on embarque et on se laisse porter...

— Où lui as-tu demandé de se rendre? Qu'est-ce que ce Naraïldon?

— Le château où tu vis, idiot. C'est son nom lunaire.

Sébastien contempla le *daven-maraïl* avec une moue désemparée.

— Tu fais vraiment confiance à ce... à Berialakh pour nous mener à destination?

— L'autre option est de revenir auprès des nôtres en retraversant la Voie Cristalline. Franchement, j'aime nettement mieux nos chances dans ce cas-ci.

— Alors, à-Dieu-vat, dit Sébastien.

Il se glissa par l'ouverture. Loriel le suivit avec un soupir.

— C'était beaucoup moins inquiétant dans les histoires, admit-elle.

7
Le canon de lancement

La voix de Berialakh s'éleva:

— Toutes les passagères sont-elles à bord? Exilées, le moment est venu de partir. Ravalez vos larmes, car c'est la clémence qui vous a conduits jusqu'ici.

— Toutes les passagères sont à bord, Berialakh! s'exclama Loriel.

Après quelques secondes, l'ouverture dans la paroi du vaisseau se referma. Le globe magique invoqué par Loriel jetait un éclairage adéquat, mais le pilier central projetait une ombre quelque peu sinistre sur la paroi opposée.

— Je me sens comme dans un cercueil, moi, se plaignit Sébastien.

— Ne commence pas déjà à geindre, dit Loriel. Nous en avons pour un bon moment à être claquemurés ici l'un avec l'autre.

— Combien de temps le voyage dure-t-il?

— Ça dépend. Jusqu'au quart d'une journée dans les pires cas.

Sébastien allait rétorquer que cela n'était rien, quand il se rendit compte que Loriel parlait d'une journée lunaire. Plus de trois jours terrestres!

— Nous n'aurons pas assez de rations, pas assez d'eau! s'inquiéta-t-il.

— Une outre d'eau pleine chacun et un sac de *kallien-malsh*. C'est bien assez. Tu n'as jamais mangé de *kallien-malsh*, mais, crois-moi, ça tombe sur l'estomac comme un bloc de granit. Pour l'eau, nous serons parcimonieux, c'est tout. La soif est une réalité fondamentale pour nous. Je sais que pour toi, c'est différent. Le Globe est couvert aux trois quarts d'eau; tu ne dois jamais avoir eu vraiment soif de ta vie...

Une secousse ébranla le vaisseau. Il se mit à osciller doucement sur sa base, puis s'inclina d'un côté.

— Nous descendons vers le canon, dit Loriel. Tu veux voir à l'extérieur? Le vaisseau peut ouvrir des fenêtres, mais ça pourrait être un peu angoissant.

— J'aime mieux voir ce qui m'arrive que de rester aveugle et ignorant.

— C'est ce que je pense aussi. Berialakh, ouvre tes fenêtres!

L'écorce du vaisseau se plissa et se rétracta en divers endroits, révélant des plaques transparentes qui laissaient voir l'extérieur. Une fenêtre en anneau entourait le sommet du *daven-maraïl*; deux autres, circulaires et larges d'un demi-mètre, s'ouvrirent dans les parois verticales. Trois petits œils-de-bœuf se dessinèrent dans le plancher.

Le couloir en pente que descendait le vaisseau était obscur. Seule la lumière à l'intérieur du *daven-maraïl* éclairait les murs de roc. Sébastien les voyait défiler doucement.

— Fais comme moi, dit la Lunaire, range ton sac dans le filet sous ton siège et serre bien l'ouverture. Les courroies autour de toi sont très importantes. Le lancement est difficile: il faut que tu t'attaches solidement au siège. Tu passes les courroies dans la boucle et tu les noues... Euh non, pas comme ça...

Loriel voulait donner l'exemple mais avait emberlificoté ses courroies. Sébastien aida Loriel à dénouer les courroies entortillées. Il refit le nœud, correctement cette fois-ci, et serra les courroies de Loriel en deux mouvements précis.

«Euh... merci», dit la Lunaire tandis que Sébastien s'attachait lui-même. Le jeune homme se permit un sourire en coin: il n'y avait pas si longtemps, Loriel aurait été terriblement insultée de devoir être aidée par un mâle. Avec tout ce qu'ils avaient vécu ensemble, la morgue de Loriel s'était beaucoup atténuée.

Le vaisseau déboucha du couloir incliné. L'éclat du globe magique de Loriel se perdit dans une profonde obscurité.

— Nous sommes dans l'âme du canon, dit Loriel.

— Loriel... Le mot que tu emploies, *aslemlin*: je le comprends comme s'il désignait une arme. Un tube de métal rempli de poudre combustible. On place un gros morceau de métal ou de pierre dans le canon, on allume la poudre, elle explose et projette le boulet à distance. Dis-moi que votre canon de lancement ne fonctionne pas comme ça!

— Bien sûr que non. Faire exploser un combustible pour nous projeter dans les airs marcherait peut-être, mais nous ne survivrions pas à la détonation.

— Alors? C'est par magie que le canon fonctionne, je suppose.

— Évidemment. L'idée est la même, tu comprends, mais ici l'effet propulsif est contrôlé, beaucoup plus graduel. Le canon tout entier va nous projeter dans les airs. Imagine lancer une balle à bout de bras, plutôt que de la frapper d'un coup de pied. Pour lui imprimer la même vitesse dans le second cas, tu risques de faire éclater les coutures.

— Alors, le lancement est sans danger?

— ... Disons qu'il ne pourrait pas être moins dangereux qu'il ne l'est. Mais il reste pénible. Tu vas sentir ton poids augmenter. Ne te débats surtout pas, ça ne dure pas très longtemps. De toute façon, comme tu viens du Globe, tu ne devrais pas trop en souffrir.

Sébastien ouvrit la bouche mais ne dit rien. Il regardait le ventre de Loriel.

— Je sais, dit celle-ci, lisant dans ses pensées. Il y a un risque accru pour moi à cause de l'embryon. Mais il est encore à peine formé. À ce stade, le risque est infime. Dans deux ou trois mois, j'aurais été sûre de le perdre.

— Loriel, dit Sébastien, je ne veux pas te contraindre...

— Il est trop tard. Le vaisseau est scellé et il n'y a plus moyen de reculer. Ou bien nous atteignons le Globe, ou bien nous mourons en route. Je t'interdis de revenir sur le sujet. Je veux faire comme si j'étais Jallinaï, tu comprends? Comme si je n'avais rien à craindre.

Sébastien se rappela les aventures à demi imaginaires qu'il avait vécues en explorant le château de la Marche Orientale. Il comprenait les sentiments de Loriel, il aurait aimé pouvoir les partager. Il lut dans ses yeux le désarroi qu'elle cherchait de toutes ses forces à dominer.

— D'accord, dit-il. C'est une aventure que nous vivons. Les premiers depuis des siècles, n'est-ce pas? Profitons-en. Ce qui nous arrive est unique...

Le vaisseau continuait son mouvement régulier; son inclinaison s'accentua. Loriel tourna son regard vers une des fenêtres, qui ne montraient toujours que l'obscurité. Sébastien, la regardant, constata qu'elle lui rappelait de moins en moins Yseult, l'amie imaginaire avec laquelle il avait passé une partie de son enfance. Yseult, qui avait eu une telle ressemblance avec Loriel qu'il avait cru qu'il perdait la raison quand il avait rencontré la jeune Lunaire pour la première fois.

Était-ce parce que la présence de Loriel effaçait rétrospectivement ses souvenirs d'Yseult? Non, il se souvenait toujours autant de la jeune fille imaginaire, il se rappelait la dernière fois qu'il l'avait vue. Il frissonna en se remémorant la façon dont elle avait disparu, se dissolvant dans la nuit, forcée de l'abandonner car il n'était plus un enfant. Lui pour qui les larmes étaient devenues si difficiles sentit une humidité brûlante au coin de ses yeux.

Le mouvement du vaisseau s'interrompit soudain. Celui-ci s'inclina à quarante-cinq degrés de la verticale. Sébastien et Loriel glissèrent sur leurs sièges, retenus seulement par les courroies.

— Passagères, retentit la voix de Berialakh, préparez-vous au lancement. Tenez-vous bien aux courroies. J'ai longtemps dormi. Préparez-vous au lancement!

Une lueur rouge se voyait par la fenêtre annulaire au sommet du vaisseau. Loriel éteignit son globe lumineux. Dans la pénombre, Sébastien distingua une série d'anneaux rouge sombre, concentriques, mais il ne pouvait voir directement en avant, le sommet du vaisseau lui bloquant la vue.

— Qu'est-ce que c'est? demanda-t-il.

— Nous voyons les parois du canon. Les anneaux sont les éléments lanceurs. Il devrait y en avoir jusqu'ici...

Juste comme Loriel disait cela, un trait de lumière rubis apparut à travers la fenêtre latérale. En même temps, une note grave se fit entendre, vibrant dans les os.

— Ça y est, dit Loriel, le processus de lancement est enclenché.

Une seconde note s'ajouta à la première, un octave au-dessus. Puis une troisième. Pour un peu, Sébastien se serait cru pris dans le plus gigantesque tuyau d'orgue jamais construit. Une quatrième note retentit, celle-là de nouveau dans les graves, formant une quinte parfaite avec le ton fondamental. L'éclat des anneaux de lumière augmentait. Le plus proche jetait sur eux une lumière couleur de sang frais. Une cinquième, une sixième note. Le son d'un accord en majeur leur emplissait la tête.

Une septième note produisit une discordance pénible; elle fluctua, montant la gamme, la descendant, avant de se stabiliser à l'unisson avec une autre. Une huitième, une neuvième note, elles aussi incapables de se fixer. Ce n'était plus un accord que Sébastien entendait mais un torrent de son, le cri de rage d'un orchestre fou. Les parois du vaisseau vibraient comme si elles allaient se rompre. Le trait de lumière au travers de la fenêtre s'inclina d'un bord et de l'autre. Sébastien ressentit l'impression d'un roulis et comprit que le *daven-maraïl* flottait maintenant dans les airs comme une chaloupe sur une rivière.

Le son atteignit une intensité au seuil de l'intolérable, puis soudain Sébastien fut écrasé contre son siège. Le vaisseau s'était comme redressé d'un coup. Par les fenêtres latérales, Sébastien vit des traits de lumière rouge horizontaux défiler du haut vers le bas, de plus en plus vite. Une main invisible l'écrasait, l'empêchait presque de respirer. Loriel grimaçait, les yeux fermés.

L'accord tonitruant qui emplissait le vaisseau s'affaiblit. Les notes graves se turent, et ne restèrent que quelques tons aigus, comme un trio de violons laissant mourir une mélodie. La main invisible ne pesait plus sur Sébastien, qui put enfin emplir ses poumons. Son cœur lui faisait mal.

— Loriel? Loriel, ça va?

La jeune Lunaire haletait. Elle tourna une paume vers le haut spasmodiquement. À travers la fenêtre, Sébastien vit un ciel bleu-violet: ils avaient émergé du canon et se trouvaient maintenant en plein vol.

Sébastien défit les courroies qui le tenaient attaché et alla aider Loriel. La Lunaire repoussa ses attentions.

— Je vais très bien, dit-elle. C'était simplement pénible.

Le vaisseau roula abruptement sur son axe. Sébastien dut s'agripper aux courroies pour ne pas tomber. Il décida de se rattacher à son siège. Tandis qu'il renouait les courroies, l'une des fenêtres latérales, maintenant tournée vers le bas, révéla un panorama qui le laissa interdit.

La surface de la Lune se déployait sous ses yeux: le désert dans tous les tons de gris, les montagnes acérées, les vallées ensablées, les plaines caillouteuses... Il n'aurait jamais cru possible d'atteindre une telle perspective.

— Adieu à ma sphère natale, murmurait Loriel, je suis une exilée. Jamais je ne reverrai les cavernes qui me virent naître, jamais plus je ne respirerai l'air de la Lune, demeure des humains. Que l'eau des tristes-cruches goûte les larmes de celles qui me portèrent et celles de mes enfants...

Sébastien détourna le regard vers elle un instant. Loriel gardait les yeux mi-clos et il comprit qu'elle récitait de mémoire les mots d'une autre. Il reporta les yeux sur le paysage lunaire.

Filant à quarante-cinq degrés de la verticale, le *daven-maraïl* ne cessait de gagner de l'altitude. Sébastien contempla le paysage qui rapetissait sous ses yeux. Bientôt, il discerna l'horizon, qui n'était plus droit comme il l'avait toujours vu, mais courbe. Le vaisseau paraissait stable maintenant. Sébastien se risqua à défaire à nouveau ses courroies pour s'approcher de la fenêtre, glissant précautionneusement sur le plancher en pente. Fasciné, il se perdit dans sa contemplation, à peine conscient que Loriel s'était elle aussi détachée et se tenait à ses côtés, scrutant la surface de son globe natal. Déserts argentés, montagnes sculptées par les vents, étroites vallées burinées à la surface... Le paysage de la Lune était aussi triste que magnifique. À un moment, Loriel pointa du doigt une minuscule tache sombre au milieu d'une plaine et dit:

— Erenyldon. Au milieu de ce qui fut la Mer Opaline. Deux mille personnes y vivent encore. La grand-mère de Paylyn, la Décideuse Alyriel, naquit à Erenyldon mais s'en fut habiter Farglon...

Elle soupira et se tut. Le point sombre qui était Erenyldon glissait lentement dans leur champ de vision.

Le *daven-maraïl* continuait sur son erre. Vint un moment — il n'aurait pu dire si c'était quelques minutes ou quelques heures plus tard — où Sébastien voulut s'arracher à la contemplation de la Lune. Agenouillé contre la fenêtre, il s'appuya sur ses bras pour se relever et le mouvement suffit à le propulser à travers les airs. Avec un cri de surprise, il alla buter contre la fenêtre opposée, rebondit et finit par se rattraper à une des courroies des sièges. Toute sensation de poids avait disparu.

— Qu'est-ce qui se passe? demanda-t-il.

Sa surprise arracha un rire bref à Loriel.

— Nous avons quitté l'attraction de la Lune. Au centre de tout corps céleste, il y a un noyau plus dense. Ce sont ces noyaux qui attirent à eux la matière environnante; sans leur influence, rien n'aurait de poids et l'univers ne serait empli que de poussière. Le noyau du Globe est plus gros que celui de la Lune et c'est pour cela que les choses y pèsent plus lourd. Mais si on s'éloigne suffisamment d'un des noyaux, son influence disparaît. Le noyau du Globe n'attire pas les objets à la surface de la Lune, et inversement. En ce moment, nous avons quitté la zone d'attraction du noyau lunaire et nous ne sommes pas encore entrés dans celle du Globe. La plupart du voyage va se dérouler en l'absence de pesanteur.

— Et d'où tires-tu tout ça? Encore des aventures de Jallinaï?

— Qu'est-ce que tu crois? J'ai suivi des cours à l'institut. Je n'ai eu que des notes parfaites en astronomie. Ma mère disait toujours que je finirais théoricienne des astres...

Le visage de Loriel s'assombrit. Sébastien essaya de la réconforter.

— Je suis sûr que tout ira bien, dit-il.

Loriel soupira et dit d'un ton morne:

— Il n'y aurait que le retour de Brallinaï pour la consoler. Je ne la reconnaissais plus, tu sais. Ce n'était plus la même personne. Je l'ai perdue quand les Ennemis nous ont envahis.

Elle cligna des yeux rapidement et les essuya du revers d'un doigt.

— Moi aussi, j'ai perdu ma mère, dit Sébastien. Elle est morte en me donnant naissance. Je ne l'ai jamais connue. Et mon père a été assassiné.

— Assassiné? Quelqu'un a osé tuer un mâle? Un Suzerain... un Margrave en plus?

— C'est bien parce qu'il était le Margrave qu'on l'a tué. Mais je ne sais pas qui est le responsable...

Sébastien sentit qu'il tremblait en disant ceci. Ses yeux le brûlaient à nouveau.

— On l'a tué parce qu'il était le Margrave, mais c'était mon père. Je commençais à peine à le connaître. Ce n'est pas juste! On n'avait pas le droit de me l'enlever!

Deux larmes roulèrent de ses yeux et prirent leur envol, libérées de toute pesanteur, deux sphères argentées brillant dans la lumière reflétée par les déserts de la Lune.

— Tous... tous ceux qui m'ont jamais aimé sont morts, dit Sébastien en sanglotant. Ma mère, et mon père, et Melinou, Melinou, elle s'est fait tuer pour moi, elle n'a même pas eu le temps de comprendre... Ils ont tué mon père à coups d'épée, coincé sous sa monture, sans le laisser se défendre! Ils me l'ont enlevé, Loriel, il ne reviendra pas, oh mon Dieu, il ne reviendra jamais!

Loriel s'était approchée de lui et le tenait gauchement; tous deux flottaient librement dans la cabine du vaisseau, environnés par les billes que formaient les larmes de Sébastien.

— Ne pleure pas, ne pleure pas, petit mâle, disait-elle comme si elle s'adressait à un enfant. Ne pleure pas, les larmes gaspillent l'eau...

Mais comme si la cicatrice qui recouvrait le cœur de Sébastien s'était soudain déchirée, le jeune Margrave ne pouvait retenir ses sanglots. Et curieusement, alors même qu'il n'avait jamais été aussi malheureux, une partie de son esprit ressentait un indicible soulagement à savoir que son malheur pouvait maintenant s'exprimer, à l'idée qu'enfin il pouvait pleurer son père comme le Margrave Théodore Szeleky le méritait.

La Lune s'éloignait d'eux insensiblement, tandis que le *daven-maraïl*, le vaisseau voué à l'exil, filait vers la Terre.

À SUIVRE

Table des matières

Imprimé au Canada par
Transcontinental Métrolitho